O VISCONDE
PARTIDO
AO MEIO

ITALO CALVINO

O VISCONDE PARTIDO AO MEIO

Tradução
Nilson Moulin

18ª reimpressão

Copyright ©2002 by Espólio de Italo Calvino
Proibida a venda em Portugal

Grafia atualizada segundo o Acordo Ortográfico da Língua Portuguesa de 1990, que entrou em vigor no Brasil em 2009.

Título original
Il visconte dimezzato

Capa
Jeff Fisher

Preparação
Márcia Copola

Revisão
Juliane Kaori
Gabriela Morandini

Dados Internacionais de Catalogação na Publicação (CIP)
(Câmara Brasileira do Livro, SP, Brasil)

Calvino, Italo, 1923-1985.
  O visconde partido ao meio / Italo Calvino ; tradução Nilson Moulin. — São Paulo : Companhia das Letras, 2011.

  Título original: Il visconte dimezzato.
  ISBN 978-85-359-1813-7

  1. Romance italiano I. Título.

11-00282   CDD-853

Índice para catálogo sistemático:
1. Romances : Literatura italiana   853

Todos os direitos desta edição reservados à
EDITORA SCHWARCZ S.A.
Rua Bandeira Paulista, 702, cj. 32
04532-002 — São Paulo — SP
Telefone: (11) 3707-3500
www.companhiadasletras.com.br
www.blogdacompanhia.com.br

APRESENTAÇÃO

A primeira edição do *Visconde partido ao meio* saiu pela editora Einaudi de Turim, em fevereiro de 1952, na coleção I Gettoni, dirigida por Elio Vittorini. Mais de trinta anos depois, a um estudante que o interrogou sobre este livro, Calvino respondeu com as palavras aqui reproduzidas (Entrevista com os estudantes de Pesaro, em 11 de maio de 1983, transcrita e publicada em *Il Gusto dei Contemporanei*, Caderno nº 3, Italo Calvino, Pesaro, 1987, p. 9).

Numa nota é apresentada a parte central e mais significativa de uma carta que Calvino escreveu a Carlo Salinari, em resposta a uma resenha que este escrevera em *L'Unitá* de 6 de agosto de 1952.

"Quando comecei a escrever *O visconde partido ao meio*, queria sobretudo escrever uma história divertida para divertir a mim mesmo, e possivelmente para divertir os outros; tinha essa imagem de um homem cortado em dois e pensei que o tema do homem cortado em dois, do homem partido ao meio fosse um tema significativo, tivesse um significado contemporâneo: todos nos sentimos de algum modo incompletos, todos realizamos uma parte de nós mesmos e não a outra.* Para fazer isso, tratei de compor uma história que

---

* "Estava interessado no problema do homem contemporâneo (do intelectual, para ser mais preciso) partido ao meio, isto é, incompleto, 'alienado'. Se decidi cortar a minha personagem segundo a linha de fratura 'bem-mal', eu o fiz porque me permitia maior evidência de imagens

se equilibrasse, que tivesse uma simetria, um ritmo ao mesmo tempo de conto de aventura mas também quase de balé. Quanto ao modo para diferenciar as duas metades, pareceu-me que fazer uma ruim e a outra boa seria o que criaria o máximo de contraste. Era toda uma construção narrativa fundamentada nos contrastes. Portanto, a história se baseia numa série de efeitos de surpresa: que, em lugar do visconde inteiro, retorne à terra natal um visconde pelo meio que é muito cruel, pareceu-me que criaria o máximo de efeito de surpresa; que depois, num certo ponto, se descobrisse, ao contrário, um visconde absolutamente bom no lugar do mau criava um outro efeito de surpresa; que estas duas metades, a boa e a má, fossem da mesma forma insuportáveis era um efeito cômico e ao mesmo tempo também significativo, porque às vezes os bons, as pessoas demasiado programaticamente boas e cheias de boas intenções, são uns chatos terríveis. O importante numa coisa do gênero é fazer uma história que funcione justamente como técnica narrativa, enquanto captura do leitor. Ao mesmo tempo, também estou sempre muito atento aos significados: tomo cuidado para que uma história não acabe por ser interpretada de modo contrário ao que penso; assim, também os significados são

---

contrapostas, e se ligava a uma tradição literária já clássica (por exemplo, Stevenson), de modo que podia jogar com isso sem preocupações. Enquanto meus amigos moralistas, chamemo-los assim, estavam voltados não tanto para o visconde mas para as personagens de moldura, que são as verdadeiras exemplificações do meu assunto: os leprosos (isto é, os artistas decadentes), o doutor e o carpinteiro (a ciência e a técnica destacadas da humanidade), aqueles huguenotes, vistos com certa simpatia e um pouco de ironia (que são em parte uma alegoria autobiográfica-familiar, uma espécie de epopeia genealógica imaginária da minha família), e também uma imagem de toda a linha do moralismo idealista da burguesia" (Carta a C. Salinari, de 7 de agosto de 1952, publicada em Italo Calvino, *I libri degli altri. Lettere 1947-1981*, org. G. Tesio, Turim, Einaudi, 1991, p. 67).

muito importantes, mas numa narrativa como esta o aspecto de funcionalidade narrativa e, digamos, de diversão é muito importante. Creio que divertir seja uma função social, corresponde à minha moral; penso sempre no leitor que deve absorver todas estas páginas, é preciso que ele se divirta, é preciso que ele tenha também uma gratificação; esta é a minha moral: alguém comprou o livro, despendeu dinheiro, investe parte de seu tempo nele, deve divertir-se. Não sou só eu que penso assim; por exemplo, também um escritor muito atento aos conteúdos como Bertolt Brecht dizia que a primeira função social de uma obra teatral era o divertimento. Penso que o divertimento seja uma coisa séria."

O VISCONDE
PARTIDO
AO MEIO

1

HAVIA UMA GUERRA CONTRA OS TURCOS. O visconde Medardo di Terralba, meu tio, cavalgava pelas planícies da Boêmia rumo ao acampamento dos cristãos. Acompanhava-o um escudeiro chamado Curzio.

As cegonhas voavam baixo, em bandos brancos, atravessando o ar opaco e parado.

— Por que tantas cegonhas? — perguntou Medardo a Curzio —, para onde estão voando?

Meu tio acabava de chegar, se alistara havia pouco, para agradar a alguns duques, nossos vizinhos, empenhados naquela guerra. Munira-se de um cavalo e de um escudeiro no último castelo em mãos cristãs, e ia apresentar-se ao quartel imperial.

— Estão voando para os campos de batalha — disse o escudeiro, sombrio. — Vão nos acompanhar por todo o caminho.

O visconde Medardo ficara sabendo que naquelas terras o voo das cegonhas é sinal de boa sorte; e queria mostrar-se alegre por vê-las. Mas, a contragosto, sentia-se inquieto.

— O que pode atrair as pernaltas aos campos de batalha, Curzio? — perguntou.

— Agora, também elas comem carne humana — respondeu o escudeiro —, desde que a carestia tornou os campos áridos e a estiagem secou os rios. Onde há cadáveres, as cegonhas, os flamingos e os grous substituíram os corvos e os abutres.

Meu tio se achava então na primeira juventude: a idade em que os sentimentos se misturam todos num ímpeto confuso, ainda não separados em bem e mal; a idade em que cada experiência nova, também macabra e desumana, é toda trepidante e efervescente de amor pela vida.

— E os corvos? E os abutres? — perguntou. — E as aves de rapina? Onde foram parar? — Estava pálido, mas seus olhos cintilavam.

O escudeiro era um soldado de pele escura, bigodudo, que nunca erguia os olhos.

— À força de comer as vítimas da peste, a peste os atacou também. — E apontou com a lança certas moitas escuras que a um olhar mais atento se revelavam não de plantas, mas de penas e pés ressecados de aves de rapina.

— Assim, nem dá para saber quem morreu antes, se a ave ou o homem, e quem se lançou sobre o outro para esganá-lo — disse Curzio.

Para fugir da peste que exterminava as populações, famílias inteiras tinham se encaminhado para os campos, e a agonia havia golpeado a todos ali. Em montes de carcaças, espalhadas pela planície árida, viam-se corpos de homens e mulheres, nus, desfigurados pelas marcas da peste e, coisa a princípio inexplicável, penugentos: como se daqueles braços macilentos e costelas tivessem crescido penas pretas e asas. Eram as carcaças de abutres misturadas com as sobras deles.

O terreno já ia mostrando sinais de batalhas. A marcha se tornara mais lenta porque os dois cavalos topavam nos restos e lombadas.

— O que está acontecendo com nossos cavalos? — perguntou Medardo ao escudeiro.

— Senhor — respondeu ele —, nada desagrada tanto aos cavalos quanto o fedor das próprias tripas.

A faixa de planície que atravessavam achava-se de fato cheia de carcaças equinas, algumas para cima, com os cascos voltados para o céu, outras de bruços, com o focinho enfiado na terra.

— Por que tantos cavalos caídos neste ponto, Curzio? — perguntou Medardo.

— Quando o cavalo sente que está sendo atingido na barriga — explicou Curzio —, trata de segurar as vísceras. Alguns apoiam a pança no chão, outros se viram de costas para que elas não caiam. Mas a morte não tarda a ceifá-los do mesmo jeito.

— Quer dizer que são sobretudo os cavalos que morrem nesta guerra?

— As cimitarras turcas parecem feitas de propósito para rasgar-lhes o ventre com um só golpe. Mais adiante verá os corpos dos homens. Primeiro caem os cavalos e depois os cavaleiros. Pronto, lá está o campo.

Nos limites do horizonte elevavam-se os pináculos das tendas mais altas, os estandartes do exército imperial e a fumaça.

Continuando a galopar, viram que os caídos da última batalha tinham sido quase todos removidos e enterrados. Só se viam alguns membros dispersos, especialmente dedos, apoiados nos restolhos.

— De vez em quando há um dedo indicando o caminho — disse meu tio Medardo. — Que significa?

— Deus os perdoe: os vivos cortam os dedos dos mortos para arrancar-lhes os anéis.

— Quem vem lá? — disse uma sentinela com capote coberto de mofo e musgo como a casca de uma árvore exposta à tramontana.

— Viva a sagrada coroa imperial! — gritou Curzio.

— E que morra o sultão! — replicou a sentinela. — Mas, por favor, quando chegarem ao comando, digam-lhes para mudar logo o turno, pois começo a deitar raízes!

Agora os cavalos corriam para escapar da nuvem de moscas que circundava o campo, zumbindo pelas montanhas de excrementos.

— De muitos valentes — observou Curzio — o esterco de ontem ainda está no chão, e eles já chegaram ao céu. — E benzeu-se.

Na entrada do acampamento, costearam uma fila de baldaquins, sob os quais mulheres de cabelos encaracolados e corpulentas, com longos vestidos de brocado e os seios nus, acolheram-nos com gritos e risadas.

— São os pavilhões das cortesãs — disse Curzio. — Nenhum exército possui outras tão lindas.

Meu tio já cavalgava com o rosto virado para trás, observando-as.

— Cuidado, senhor — acrescentou o escudeiro —, andam tão sujas e empestadas que nem os turcos as aceitariam como presas de um saque. Além de carregadas de chatos, percevejos e carrapatos, agora até os escorpiões e os lagartos fazem ninhos sobre elas.

Passaram diante das baterias do campo. À noite, os artilheiros cozinhavam o rancho de água e nabos no bronze das espingardas e dos canhões, abrasado dos intensos disparos da jornada.

Chegavam carroças cheias de terra e os artilheiros a peneiravam.

— A pólvora está ficando escassa — explicou Curzio —, mas a terra onde as batalhas aconteceram está tão impregnada que, insistindo-se, dá para recuperar algumas cargas.

Depois vinham as instalações da cavalaria, onde, entre as moscas, os veterinários trabalhavam sem parar remendando a pele dos quadrúpedes com costuras, faixas e emplastos de alcatrão fervente, todos relinchando e escoiceando, inclusive os doutores.

As tendas da infantaria seguiam-se por um grande trecho. O sol se punha e diante de cada tenda os soldados estavam sentados com os pés imersos em tinas de água morna. Sendo comuns os alarmes repentinos de dia e de noite, mesmo na hora do pedilúvio continuavam a segurar o capacete e a lança. Em tendas mais altas e montadas em forma de quiosque, os oficiais punham talco nas axilas e se refrescavam com leques de rendas.

— Não fazem isso por frescura — disse Curzio —, ao contrário: querem mostrar que se acham completamente à vontade em meio à dureza da vida militar.

O visconde de Terralba foi logo conduzido à presença do imperador. Em seu pavilhão cheio de tapeçarias e troféus, o soberano estudava nos mapas os planos de futuras batalhas. As mesas estavam cobertas de mapas abertos, e o imperador espetava neles alfinetes, retirando-os de uma almofada própria que um dos marechais lhe estendia. Os mapas já estavam tão carregados de alfinetes que não se entendia mais nada, e para ler alguma coisa precisavam tirar os alfinetes e voltar a recolocá-los. Nesse tira e põe, para ficar com as mãos livres, tanto o imperador quanto os marechais mantinham os alfinetes entre os lábios e só podiam falar por meio de ganidos.

Ao ver o jovem que se inclinava diante dele, o soberano emitiu um ganido interrogativo e tirou depressa os alfinetes da boca.

— Um cavaleiro recém-chegado da Itália, majestade — apresentaram-no —, o visconde de Terralba, de uma das mais nobres famílias da região de Gênova.

— Que seja logo nomeado tenente.

Meu tio bateu as esporas, ficando em sentido, enquanto o imperador fazia um amplo gesto real e todos os mapas se enrolavam sobre si mesmos e caíam.

Naquela noite, embora cansado, Medardo tardou a dormir. Andava para a frente e para trás perto da tenda, e ouvia os apelos das sentinelas, os cavalos relinchando e a fala entrecortada de soldados durante o sono. Observava no céu as estrelas da Boêmia, pensava na nova patente, na batalha do dia seguinte e na pátria distante, na música dos caniços dentro d'água. No coração não guardava nem nostalgia, nem dúvidas, nem apreensão. Para ele as coisas ainda eram inteiras e indiscutíveis, e assim era ele próprio. Se tivesse podido prever a terrível sorte que o aguardava, talvez também a tivesse considerado natural e acabada, mesmo em toda a sua dor. Estendia o olhar até o limite do horizonte noturno, onde sabia que se localizava o campo dos inimigos, e com os braços cruzados apertava as costas com as mãos, contente por ter certeza ao mesmo tempo de realidades longínquas e diferentes, e da própria presença no meio delas. Sentia o sangue daquela guerra cruel, disseminado por mil córregos sobre a terra, chegar até ele; e se deixava tocar, sem experimentar raiva nem piedade.

2

A BATALHA COMEÇOU pontualmente às dez da manhã. Do alto da sela, o lugar-tenente Medardo contemplava a dimensão das forças cristãs, prontas para o ataque, e erguia o rosto seguindo o vento da Boêmia, que levantava um cheiro de muitas cascas, lembrando uma eira poeirenta.

— Não, não vire para trás, senhor — exclamou Curzio, que, tendo recebido a patente de sargento, estava a seu lado. E, para justificar a frase peremptória, acrescentou, de mansinho: — Dizem que dá azar, antes do combate.

Na verdade, não queria que o visconde desanimasse ao se dar conta de que o exército cristão praticamente consistia naquela fileira alinhada e que as forças de apoio não passavam de alguns esquadrões de cavalaria que mal se aguentavam em pé.

Mas meu tio olhava bem longe, para a nuvem que se aproximava no horizonte, e pensava: "Pronto, aquela nuvem são os turcos, os verdadeiros turcos, e estes ao meu lado, cuspindo tabaco, são os veteranos da cristandade, e este ribombar que agora ressoa é o ataque, o primeiro ataque de minha vida, e este estrondo e o tremor, o bólide que se enfia na terra observado com enorme tédio pelos veteranos e pelos cavalos é uma bala de canhão, a primeira bala inimiga que encontro. Espero que não chegue o dia em que deverei dizer: 'E esta é a última'".

De espada em punho, saiu a galopar planície afora, de olho no estandarte imperial, que aparecia e desaparecia no meio da fumaça, enquanto os canhonaços amigos rolavam pelo céu acima de sua cabeça, e os inimigos já abriam brechas no lado cristão, provocando imprevistas nuvens de terra. Pensava: "Hei de ver os turcos! Hei de ver os turcos!". Nada atrai mais os homens do que ter inimigos e depois verificar se são exatamente como os imaginavam.

E os viu, os turcos. Vinham dois justamente daquele lado. Com os cavalos encapotados, o pequeno escudo redondo, as roupas listradas de negro e açafrão. E o turbante, a cara cor de ocre e os bigodes iguais aos de um tipo que, em Terralba, era chamado de Elmir, o Turco. Um deles morreu e o outro matou um terceiro. Mas estavam se aproximando sabem-se lá quantos e se combatia com arma branca. Ver dois turcos era como ver todos. Também eles eram militares, e todas aquelas coisas eram equipamentos do exército. As caras eram morenas e duras como as dos camponeses. Medardo, para o que lhe interessava, já os tinha visto; podia voltar para casa em Terralba a tempo para a migração das codornas. Porém, havia se alistado para a guerra. Por isso corria, desviando os golpes das cimitarras, até que encontrou um turco baixo, a pé, e o matou. Vendo como se fazia, foi procurar um alto, a cavalo, e se deu mal. Porque eram os pequenos os mais perigosos. Andavam até debaixo dos cavalos, com aquelas cimitarras, e os esquartejavam.

O cavalo de Medardo parou com as pernas abertas.

— O que está fazendo? — disse o visconde.

Curzio acercou-se apontando para baixo:

— Veja ali.

Já estava com as vísceras todas para fora. O pobre animal olhou para cima, para o patrão, depois baixou a cabeça como se quisesse roer os intestinos, mas era só um impulso de heroísmo: desmaiou e depois morreu. Medardo di Terralba estava condoído.

— Pegue o meu cavalo, tenente — disse Curzio, mas não conseguiu detê-lo porque caiu da sela, ferido por uma flecha turca, e o cavalo saiu a galope.

— Curzio! — gritou o visconde, e se achegou ao escudeiro que gemia no chão.

— Não pense em mim, senhor — falou o escudeiro. — Só espero que no hospital ainda haja aguardente. Cada ferido tem direito a uma boa dose.

Meu tio Medardo lançou-se na peleja. Os rumos da batalha eram incertos. Naquela confusão, parecia que os cristãos é que venceriam. Com certeza, tinham rompido as fileiras turcas e cercado determinadas posições. Meu tio, com outros valentes, lançara-se até o alcance das baterias inimigas, e os turcos deslocavam-nas para manter os cristãos debaixo de fogo. Dois artilheiros turcos faziam circular um canhão com rodas. Lentos como eram, barbudos, encapotados até os pés, pareciam dois astrônomos. Meu tio disse:

— Agora chego lá e tomo conta deles.

Entusiasta e inexperiente, não sabia que só podemos nos aproximar de canhões lateralmente ou do lado da culatra. Saltou na frente da boca de fogo, de espada em punho, e imaginava assustar os dois astrônomos. Ao contrário, mandaram-lhe um canhonaço em pleno peito. Medardo di Terralba saltou pelos ares.

À noite, período de trégua, duas carroças iam recolhendo os corpos dos cristãos pelo campo de batalha. Uma era para os feridos e a outra para os mortos. A primeira seleção era feita ali mesmo. "Eu pego este, você pega aquele." Aquele em que ainda parecia existir algo para salvar, era jogado na carroça dos feridos; aquele de que só havia pedaços e farrapos, na carroça dos mortos, para ter sepultura abençoada; aquele que já não era nem mesmo um cadáver, ficava como carniça para as cegonhas. Naqueles dias, diante das perdas crescentes, fora determinado que era melhor carregar mais feridos. Assim, os restos de Medardo foram considerados um ferido e postos na carroça apropriada.

A segunda seleção era feita no hospital. Depois das batalhas, o hospital militar proporcionava uma visão ainda mais atroz do que as próprias batalhas. No chão ficava aquela longa fila de macas com seus desgraçados em cima e ao redor agitavam-se os doutores, fazendo malabarismos com pinças, serras, agulhas, dedos amputados e rolos de linhas para pontos. De morto em morto, faziam de tudo para que cada cadáver tornasse a viver. Serra aqui, costura ali, tapa buraco, reviravam veias como se fossem luvas e as recolocavam em seus lugares, com mais enchimento de barbante do que sangue, porém remendadas e fechadas. Quando um paciente morria, tudo o que estivesse em boas condições servia para recuperar os membros de outro, e assim por diante. A coisa que mais atrapalhava eram os intestinos: uma vez desenrolados, não havia meio de recolocá-los.

Erguido o lençol, o corpo do visconde mostrou-se terrivelmente mutilado. Faltava-lhe um braço e uma perna, e não só, tudo o que havia de tórax e abdômen entre aquele braço e aquela perna fora arrancado, pulverizado pelo canhonaço recebido em cheio. Da cabeça sobravam um olho, uma orelha, uma bochecha, meio nariz, meia boca, meio queixo e meia testa: da outra metade só restava um mingau. Em suma, salvara-se apenas metade, a parte direita, que aliás se conservara perfeitamente, sem nem sequer um arranhão, excluindo aquela enorme rasgadura que a separara da parte esquerda estraçalhada.

Os médicos: todos contentes. "Uh, que maravilha de caso!" Se não morresse logo, até podiam tentar salvá-lo. E todos o rodearam, enquanto os pobres soldados com uma flecha no braço morriam de septicemia. Costuraram, adaptaram, amassaram: sabe-se lá o que fizeram. O resultado foi que no dia seguinte meu tio abriu o único olho, a meia-boca, dilatou a narina e respirou. A dura fibra dos Terralba resistira. Agora estava vivo e partido ao meio.

3

Quando meu tio regressou a Terralba, eu tinha sete ou oito anos. Era tarde, já escuro; outubro; o céu estava nublado. Durante o dia tínhamos trabalhado na vindima e através das videiras enfileiradas víamos aproximarem-se no mar cinzento as velas de um navio que trazia bandeira imperial. A cada navio que se avistava então, dizia-se: "Este é mestre Medardo que volta", não porque estivéssemos impacientes de que regressasse, mas para ter alguma coisa que esperar. Daquela vez adivinháramos: tivemos a confirmação à noite, quando um jovem chamado Fiorfiero, amassando a uva no alto da tina, gritou: "Oh, lá embaixo"; estava quase escuro e vimos, no fundo do vale, uma fileira de tochas acender-se pelo caminho das mulas; e depois, quando passou pela ponte, distinguimos uma liteira transportada nos ombros. Não havia dúvidas: era o visconde que voltava da guerra.

A novidade se espalhou pelos vales; no pátio do castelo reuniram-se todos: familiares, criadagem, vindimadores, pastores, homens de armas. Só faltava o pai de Medardo, o velho visconde Aiolfo, vovô, que havia um bom tempo não descia nem mesmo até o pátio. Cansado das lides do mundo, renunciara às prerrogativas do título em favor do único filho homem, antes que este partisse para a guerra. Agora a sua paixão pelas aves, que criava no interior do castelo, num grande viveiro, acabara, por se tornar mais exclusiva: o velho carregara a própria cama para o viveiro e se trancara lá dentro, não saindo nem de dia nem de noite. Entregavam-lhe as refeições junto com a comida das aves através das grades do viveiro, e Aiolfo dividia tudo com aquelas criaturas. E passava as horas acariciando o dorso dos faisões, das rolinhas, à espera do filho que voltaria da guerra.

No pátio de nosso castelo, eu nunca tinha visto tanta gente: já passara o tempo, do qual só ouvira falar, das festas e das guerras entre vizinhos. E pela primeira vez me dei conta de como as paredes e as torres estavam arruinadas, e o pátio, onde costumavam dar capim para as cabras e encher o cocho para os porcos, enlameado. Todos, esperando, discutiam como o visconde Medardo voltaria; havia tempos chegara a notícia dos ferimentos graves que ele recebera dos turcos, mas ninguém sabia ainda claramente se estava mutilado, doente ou apenas marcado pelas cicatrizes: e agora a visão da liteira nos preparava para o pior.

E eis que a liteira foi posta no chão, e no meio da sombra escura deu para ver o brilho de uma pupila. A velha ama Sebastiana tentou aproximar-se, mas da sombra elevou-se um vigoroso gesto de rechaço em mão espalmada. Depois se viu o corpo na liteira agitar-se num esforço quebrado e convulso, e diante de nossos olhos Medardo di Terralba saltou de pé, apoiando-se numa muleta. Um manto negro com capuz descia-lhe da cabeça até o chão; do lado direito estava enviesado para trás, descobrindo metade do rosto e do corpo apoiado na muleta, enquanto à esquerda parecia estar tudo oculto e envolto nas abas e nas dobras daquela ampla vestimenta.

Ficou nos observando, nós todos em volta dele, sem que ninguém dissesse uma palavra; mas quem sabe se com aquele olho fixo não nos olhava de jeito nenhum, só queria afastar-nos dele.

Um sopro de vento veio do mar e um ramo quebrado no alto de uma figueira soltou um gemido. O manto de meu tio ondulou e o vento o inflou, estendendo-o como uma vela, e poderíamos dizer que lhe atravessava o corpo, ou melhor, que tal corpo nem existia, e o manto estava vazio como o de um fantasma. Depois, olhando melhor, vimos que aderia como a um mastro de bandeira e o mastro era o ombro, o braço, o flanco, a perna, tudo o que dele se apoiava na muleta: e o resto não existia.

As cabras observavam o visconde com seu olhar fixo e inexpressivo, cada uma em posição diferente mas todas juntas, com os dorsos arrumados num estranho desenho de ângulos retos. Os porcos, mais sensíveis e ágeis, grunhiram e saíram correndo dando-se barrigadas, e então nem nós pudemos mais esconder nosso espanto.

— Meu filho! — gritou a ama Sebastiana, e levantou os braços. — Infeliz!

Meu tio, contrariado por ter provocado tamanha impressão em nós, avançou a ponta da muleta no chão e com um movimento comedido dirigiu-se para a entrada do castelo. Mas nos degraus do portão estavam sentados de pernas cruzadas os carregadores da liteira, grandalhões seminus, com brincos de ouro e cabeça raspada em que sobressaíam topetes ou rabos de cavalo. Levantaram-se, e um de trança, que parecia o chefe, disse:

— Esperamos o pagamento, *señor*.

— Quanto? — perguntou Medardo, e poderíamos dizer que sorria.

O homem de trança disse:

— Sabe qual é o preço para o transporte de um homem em liteira...

Meu tio tirou uma bolsa do cinturão e jogou-a tilintante aos pés do carregador. Este sentiu-lhe o peso rapidamente e exclamou:

— Mas isso é muito menos que o combinado, *señor*!

Medardo, enquanto o vento lhe erguia a ponta do manto, disse:

— A metade.

Ultrapassou o portão e dando pulinhos com seu único pé subiu os degraus, entrou pela grande porta escancarada que dava para o interior do castelo, batendo com a muleta empurrou os dois pesados batentes, que se fecharam com estrondo, e por fim, como a portinhola ficara aberta, fechou--a, desaparecendo de nossos olhares.

Continuamos a ouvir as batidas alternadas lá dentro, do pé e da muleta, que no corredor se dirigiam para a ala do castelo em que ficavam seus aposentos privados, e também de lá ouvimos um bater e trancar portas.

Parado atrás da grade do viveiro, seu pai o esperava. Medardo nem tinha passado para cumprimentá-lo: fechara-se sozinho em seus aposentos e não queria apresentar-se ou responder nem à ama Sebastiana, que ficou um bom tempo batendo à porta e compadecendo-se dele.

A velha Sebastiana era uma mulherona toda de negro, incluindo o véu, com o rosto rosado sem nenhuma ruga, exceto aquela que por pouco não lhe ocultava os olhos; dera leite a todos os jovens da família Terralba e fora para a cama com todos os mais velhos e fechara os olhos de todos os mortos. Agora ia e vinha pelas celas dos dois presos, e não sabia como ajudá-los.

No dia seguinte, visto que Medardo continuava a não dar sinal de vida, retomamos a vindima, mas faltava alegria, e nas vinhas só se falava do seu destino, não porque gostássemos tanto dele, mas por ser um tema atraente e obscuro. Só a ama Sebastiana ficou no castelo, prestando atenção em cada rumor.

Mas o velho Aiolfo, como se previsse que o filho voltaria tão triste e arredio, havia tempos adestrara um de seus animais preferidos, uma pega, para voar até a ala do castelo em que ficavam os aposentos de Medardo, então vazios, e para entrar pela janelinha de seu quarto. Naquela manhã, o velho abriu a portinhola para a ave, seguiu seu voo até a janela do filho, em seguida voltou a distribuir alimento para as pegas e toutinegras, imitando suas vozes.

Pouco depois, ouviu o baque de um objeto jogado contra as cortinas. Debruçou-se do lado de fora e no beiral jazia sua ave predileta. O velho recolheu-a com as mãos unidas e viu que uma asa se rompera como se tivessem tentado arrancá-la, uma pata estava partida como se tivesse sido garroteada por dois dedos e um olho tinha sido arrancado. O velho apertou o pássaro contra o peito e começou a chorar.

Foi para a cama no mesmo dia, e os empregados do lado de lá da grade do viveiro viram que estava muito mal. Mas ninguém pôde tratar dele, pois se encerrara ali e escondera as chaves. Ao redor de seu leito as aves voavam. Desde que se deitara, tinham começado a esvoaçar e não queriam pousar nem parar de bater as asas.

Na manhã seguinte, a ama, encostando o rosto no viveiro, viu que o visconde Aiolfo estava morto. As aves estavam todas pousadas sobre a cama, como num tronco flutuando no meio do mar.

4

Depois da morte do pai, Medardo começou a sair do castelo. Uma vez mais foi a ama Sebastiana quem primeiro se deu conta, certa manhã, vendo as portas escancaradas e os aposentos desertos. Um grupo de servos foi deslocado para o campo para seguir a pista do visconde. Os servos corriam e passaram sob uma pereira que tinham visto, na noite anterior, carregada de frutos temporãos ainda ácidos.

— Olhem lá em cima — disse um deles.

Viram as peras que pendiam contra o céu da manhã e ao vê-las ficaram horrorizados. Porque não estavam inteiras, eram várias metades de pera cortadas ao comprido e cada uma presa ao próprio talo: todavia, de cada pera só restava a metade direita (ou esquerda, conforme de onde se olhasse, mas estavam todas do mesmo lado) e a outra metade desaparecera, cortada ou talvez mordida.

— O visconde passou por aqui! — gritaram os servos. Certamente, depois de ficar trancado em jejum tantos dias, naquela noite sentira fome e subira na primeira árvore para comer peras.

Caminhando, os servos encontraram numa pedra meia rã que pulava, graças à resistência das rãs, ainda viva.

— Estamos no bom caminho! — E prosseguiram.

Perderam-se, pois não avistaram entre as folhas meio melão e tiveram de voltar atrás até encontrá-lo.

Assim, dos campos passaram para o bosque e viram um cogumelo cortado ao meio, um *porcino*, depois um outro, um boleto vermelho venenoso, e andando pelo mato continuaram encontrando, de vez em quando, aqueles cogumelos que despontavam da terra com meio talo e abriam só meia cobertura. Pareciam cortados com talho preciso, e da outra metade não se encontrava nem um único esporo. Eram cogumelos de todo tipo, esclerodermas, amanitas, agáricos; e os venenosos apareciam em número quase igual ao dos comestíveis.

Seguindo essas pistas dispersas, os servos chegaram ao prado conhecido como Prado das Freiras, onde havia um charco no meio do capinzal. Luzes da aurora, e à beira d'água a figura exígua de Medardo, envolta no manto negro, espelhava-se na água, onde boiavam cogumelos brancos ou amarelos que ele arrancara e agora estavam espalhados naquela superfície transparente. Na água, os cogumelos pareciam inteiros, e o visconde os observava: e também os servos se esconderam na outra margem e não ousaram dizer nada, fixando igualmente os cogumelos flutuantes, até que se deram conta de que eram todos bons para comer. E os venenosos? Se não os tinha jogado no charco, o que fizera com eles? Os servos correram de novo para o bosque. Nem precisaram ir longe, pois no caminho encontraram um menino com um cesto; dentro deste estavam todas aquelas metades de cogumelos venenosos.

Aquele menino era eu. Brincava sozinho no escuro ao redor do Prado das Freiras, dando sustos em mim mesmo ao sair de repente de trás das árvores, quando encontrei meu tio, que saltava sobre seu pé pelo prado ao luar, com um cesto pendurado no braço.

— Oi, tio! — gritei: era a primeira vez que conseguia cumprimentá-lo.

Pareceu muito contente de me ver.

— Estou procurando cogumelos — me explicou.

— Conseguiu alguma coisa?

— Olhe — disse meu tio, e nos sentamos à beira do charco. Ele escolhia os cogumelos e jogava alguns na água, deixando outros no cesto.

— Pegue — disse, me entregando o cesto com os cogumelos escolhidos por ele. — Pode fritar.

Gostaria de ter lhe perguntado por que no cesto só havia a metade de cada cogumelo; mas percebi que a pergunta teria sido pouco respeitosa, e corri depois de agradecer. Ia fritá-los quando encontrei o pessoal da criadagem e fiquei sabendo que eram todos venenosos.

A ama Sebastiana, quando lhe contaram a história, disse:

— Só voltou a metade malvada de Medardo. Quem sabe o que acontecerá durante o processo.

Estava marcado para aquele dia um processo contra uma quadrilha presa no dia anterior pelos guardas do castelo. Os bandidos eram gente dali mesmo e por isso o visconde é que tinha de julgá-los. Começou o julgamento e Medardo estava todo torto na cadeira e roía as unhas. Chegaram os bandidos amarrados: o chefe da quadrilha era o jovem Fiorfiero, que fora o primeiro a avistar a liteira enquanto amassava a uva. Entrou a parte lesada e eram cavaleiros toscanos que, a caminho da Provença, passavam por nossos bosques quando Fiorfiero e sua quadrilha caíram em cima deles e os roubaram. Fiorfiero se defendeu dizendo que andavam caçando em nossas terras, e ele os detivera e desarmara justamente por pensar que fossem caçadores, dado que os guardas não os vigiavam. É preciso dizer que naquele tempo os ataques de bandidos eram uma atividade muito comum, razão pela qual a lei era clemente. E ademais, nossas terras eram particularmente favoráveis à bandidagem, e assim, inclusive alguns membros de nossa família, em especial nos tempos agitados, se uniam às quadrilhas. Da caça ilegal nem falo, era o delito mais leve que se podia imaginar.

Mas as apreensões de Sebastiana tinham fundamento. Medardo condenou Fiorfiero e toda a sua quadrilha a morrerem na forca, culpados de rapina. Mas, como as vítimas eram por sua vez caçadores ilegais, condenou-as igualmente à forca. E para punir os guardas, que intervieram tarde demais e que não souberam prevenir os crimes dos caçadores nem os dos bandidos, decretou que eles também fossem enforcados.

Eram umas vinte pessoas no total. Essa cruel sentença provocou consternação e dor em todos nós, não tanto pelos fidalgos toscanos, que ninguém conhecia, mas pelos bandidos e pelos guardas, que eram gente querida. Mestre Pedroprego, albardeiro e carpinteiro, foi encarregado de construir a forca: era um trabalhador sério e inteligente, que se empenhava com firmeza em toda obra. Com grande dor, porque dois dos condenados eram parentes dele, construiu uma forca ramificada feito uma árvore, cujas cordas subiam juntas acionadas por um único guindaste; era uma engrenagem tão grande e engenhosa que dava para enforcar de uma só vez mais gente que o grupo condenado, tanto que o visconde aproveitou para enforcar dez gatos alternando com dois réus. Os cadáveres mirrados e as carcaças de gato balançaram durante três dias e no início ninguém aguentava olhar para eles. Mas logo nos demos conta da visão imponente que ofereciam, e até o nosso julgamento se dividia em sentimentos díspares, a ponto de causar desagrado a decisão de retirá-los e desmontar a grande máquina.

5

AQUELES ERAM TEMPOS FELIZES PARA MIM, sempre andando pelos bosques com o dr. Trelawney à procura de conchas de animais marinhos petrificados. O dr. Trelawney era inglês: aparecera em nossas costas depois de um naufrágio, montado num barril de bordeaux. Fora médico de bordo a vida inteira e participara de viagens longas e perigosas, incluindo as realizadas com o famoso capitão Cook, mas jamais vira nada do mundo, pois estava sempre trancado jogando vinte e um. Tendo naufragado em nosso território, logo aderira ao vinho *cancarone*, o mais áspero e granulado da região, e não conseguia mais passar sem ele, a ponto de carregar sempre um cantil bem cheio. Ficara em Terralba, tornando-se o nosso médico, porém não se preocupava com os doentes, e sim com suas descobertas científicas, que o mantinham ocupado — e eu junto — pelos campos e matas dia e noite. Primeiro foi uma doença dos grilos, quase imperceptível, que só se verificava num grilo entre mil e este não sofria nenhum dano; e o dr. Trelawney queria identificar todos os grilos afetados e encontrar o tratamento adequado. E mais os indícios de que nossas terras haviam sido cobertas pelo mar; e então íamos carregando pedregulhos e pederneiras que o doutor dizia terem sido, antigamente, peixes. Por fim, a última de suas grandes paixões: os fogos-fátuos. Queria descobrir o modo de agarrá-los e conservá-los, e com esse escopo passávamos as noites vagando em nosso cemitério, esperando que entre as tumbas de terra e de capim se acendesse algum daqueles vagos clarões, e então tratávamos de atraí-lo, de fazê-lo correr atrás de nós e capturá-lo, sem que se apagasse, em recipientes que experimentávamos de tempos em tempos: sacolas, frascos, garrafões, pequenos braseiros, coadores. O dr. Trelawney tinha ido morar numa casinhola perto do cemitério, que um dia abrigara o coveiro, naqueles tempos de fausto e guerras em que era conveniente ter um homem para fazer só aquele trabalho. Lá o doutor havia instalado o laboratório, com ampolas de todo tipo para engarrafar os fogos-fátuos e retículas similares às de pesca para prendê-los; e alambiques e crisóis em que ele investigava como das terras dos cemitérios e dos miasmas dos cadáveres nasciam aquelas pálidas chamas. Mas não era homem de ficar muito tempo absorto em seus estudos: logo desistia, saía e íamos juntos em busca de novos fenômenos da natureza.

Eu era livre como o ar, pois não tinha pais e não integrava a categoria dos servos nem a dos patrões. Fazia parte da família dos Terralba só por reconhecimento tardio, mas não assinava o nome deles e ninguém se via obrigado a educar-me. Minha pobre mãe era filha do visconde Aiolfo e irmã mais velha de Medardo, porém havia manchado a honra da família fugindo com um caçador ilegal que acabou sendo meu pai. Eu tinha nascido na cabana do caçador, nos terrenos áridos do bosque; e pouco depois meu pai foi morto numa briga e a pelagra liquidou minha mãe naquela mísera cabana. Fui então acolhido no castelo porque meu avô Aiolfo teve pena, e cresci graças aos cuidados da grande ama Sebastiana. Lembro que quando Medardo ainda era jovem e eu bem pequeno, às vezes me deixava participar de suas brincadeiras como se tivéssemos a mesma condição; depois a distância cresceu junto conosco e eu permaneci do lado da criadagem. Então no dr. Trelawney descobri um companheiro como nunca tinha tido.

O doutor tinha sessenta anos, mas era da minha altura; mostrava um rosto enrugado feito uma castanha seca, sob o tricórnio e a peruca; as pernas, que as polainas cobriam até a metade da coxa, pareciam mais longas, desproporcionais como as de um grilo, inclusive por causa das longas passadas que dava; e vestia uma casaca cor de rolinha debruada de vermelho, usando por cima, a tiracolo, o cantil com vinho *cancarone*.

A paixão dele pelos fogos-fátuos nos conduzia a longas marchas noturnas para alcançar os cemitérios das aldeias vizinhas, onde às vezes dava para ver chamas mais bonitas em cor e grandeza que as do nosso cemitério abandonado. Mas ai de nós se tais manobras fossem descobertas pelos aldeões: confundidos com ladrões sacrílegos, certa vez fomos seguidos durante vários quilômetros por um grupo de homens armados com foices e tridentes.

Andávamos por lugares escorregadios e com torrentes; eu e o dr. Trelawney pulávamos feito raios pelas rochas, mas sentíamos os aldeões furiosos aproximando-se atrás de nós. Num ponto chamado Salto della Ghigna, um mata-burro atravessava um abismo muito profundo. Em vez de saltar o obstáculo, eu e o doutor nos escondemos num degrau de pedra à beira do abismo, bem a tempo, pois os aldeões estavam em nossos calcanhares. Não nos viram, e aos gritos: "Onde estão aqueles bastardos?", passaram correndo pelo mata-burro. Um baque, e berrando foram engolidos pela torrente que corria lá no fundo.

O susto pela nossa sorte se transformou em alívio para mim e Trelawney por causa do risco evitado e de novo em susto pelo final terrível de nossos perseguidores. Só nos atrevemos a observar no escuro onde os aldeões tinham desaparecido. Erguendo os olhos vimos os restos do mata-burro: os troncos ainda estavam firmes, só que tinham quebrado no meio, como se tivessem sido serrados; de nenhum outro jeito podíamos explicar como aquela madeira grossa havia cedido com um corte assim preciso.

— Aí tem a mão de alguém que eu conheço — disse o dr. Trelawney, e também eu já entendera.

De fato, ouviu-se um rápido bater de cascos e na orla do barranco apareceram um cavalo e um cavaleiro meio coberto por um manto negro. Era o visconde Medardo que, com seu gélido sorriso triangular, contemplava o resultado trágico da cilada, imprevista talvez até para ele mesmo: certamente pretendia matar nós dois; acabou por salvar-nos a vida. Trêmulos, o vimos correr naquele cavalo magro que saltava pelas rochas como se fosse filho de uma cabra.

Naquele tempo, meu tio andava sempre a cavalo: encomendara ao albardeiro Pedroprego uma sela especial com um estribo no qual se equilibrava por meio de correias, enquanto o outro levava um contrapeso. Ao lado da sela, uma espada e uma muleta iam penduradas. E assim o visconde cavalgava com um chapéu emplumado e de abas largas, cuja metade sumia debaixo de uma ponta do manto sempre esvoaçante. Onde se ouvia o barulho dos cascos de seu cavalo, todos fugiam mais rápido do que quando passava Galateo, o leproso, e escondiam as crianças e os animais, e temiam pelas plantas, pois a maldade do visconde não poupava ninguém e podia desencadear-se de um momento para outro nas ações mais imprevistas e incompreensíveis.

Jamais adoecera e assim nunca havia precisado dos tratamentos do dr. Trelawney; mas num caso semelhante não sei como o doutor teria se saído, ele que fazia de tudo para evitar meu tio e para nem sequer ouvir falar dele. Quando lhe falavam do visconde e de sua crueldade, o dr. Trelawney sacudia a cabeça e enrugava os lábios murmurando: "Oh, oh, oh!... Sst, sst, sst!", como quando lhe contavam uma história inconveniente. E, para mudar de conversa, começava a relatar as viagens do capitão Cook. Certa vez tentei perguntar-lhe como, na opinião dele, meu tio conseguia viver tão mutilado, mas o inglês não soube me dizer nada além daquele: "Oh, oh, oh!... Sst, sst, sst!". Parecia que, do ponto de vista da medicina, o caso de meu tio não suscitava nenhum interesse no doutor; mas eu começava a pensar que ele havia se tornado médico só por imposição familiar ou conveniência, e que tal ciência absolutamente não lhe importava. Talvez a sua carreira de médico de bordo tivesse existido somente pela habilidade no jogo de vinte e um, motivo por que os mais famosos navegantes, o capitão Cook em primeiro lugar, disputavam-no como parceiro de jogo.

Uma noite, o dr. Trelawney caçava fogos-fátuos com a rede em nosso velho cemitério, quando viu pela frente Medardo di Terralba, que deixava seu cavalo pastar em cima dos túmulos. O doutor estava muito confuso e receoso, mas o visconde se aproximou e indagou com a pronúncia assaz defeituosa de sua boca partida ao meio:

— Procura borboletas noturnas, doutor?

— Oh, milorde — respondeu o doutor com um fio de voz —, oh, oh, não exatamente borboletas, milorde... Fogos-fátuos, sabe, fogos-fátuos...

— Ah, os fogos-fátuos. Muitas vezes também eu me perguntei sobre a origem deles.

— Há tempos, modestamente, isso é objeto de meus estudos, milorde... — disse Trelawney, meio encorajado por aquele tom benévolo.

Medardo contorceu num meio-sorriso a sua meia-cara angulosa, com a pele esticada como uma caveira.

— Enquanto estudioso o senhor merece alguma contribuição — disse-lhe. — Pena que este cemitério, abandonado como anda, não seja um bom campo para os fogos-fátuos. Mas prometo que amanhã mesmo providenciarei para ajudá-lo no que me for possível.

O dia seguinte era a data marcada para a administração da justiça, e o visconde condenou à morte uma dezena de camponeses, porque, segundo suas contas, não haviam entregado toda a parte da colheita que deviam ao castelo. Os mortos foram sepultados na terra das fossas comuns e o cemitério produziu a cada noite montes de fogos. O dr. Trelawney estava muito assustado com aquela ajuda, embora a considerasse bastante útil para os seus estudos.

Nessa trágica conjuntura, mestre Pedroprego havia aperfeiçoado bem a sua arte de construir forcas. Tinham se tornado verdadeiras obras-primas de carpintaria e de mecânica, e não só as forcas, mas também os cavaletes, os guindastes e os demais instrumentos de tortura com os quais o visconde Medardo arrancava as confissões dos acusados. Eu ia frequentemente à oficina de Pedroprego, pois era um grande prazer vê-lo trabalhar com tanta habilidade e paixão. Mas uma aflição pesava sempre no coração do albardeiro. O que ele construía eram patíbulos para inocentes. "Como posso", pensava, "aceitar construir algo tão engenhoso mas que tem um objetivo diferente? E quais poderão ser os novos mecanismos que construirei com mais boa vontade?" Mas não obtendo respostas para tais questões, tratava de expulsá-las da mente, esforçando-se em fazer as instalações mais bonitas e engenhosas que podia.

— Tem de esquecer o fim para o qual servirão — dizia também a mim. — Olhe-os só como mecanismos. Vê como são bonitos?

Eu olhava para aquelas arquiteturas de traves, aquele sobe e desce de cordas, aquelas ligações de guindastes e de roldanas, e me esforçava para não ver em cima delas os corpos dilacerados, porém quanto mais me esforçava mais era obrigado a pensar, e dizia a Pedroprego:

— Como posso?

— E eu então, rapaz — replicava ele —, como eu posso?

* * *

Mas apesar de aflições e medos, aquele período tinha a sua parte de alegria. A hora mais bonita chegava quando o sol estava alto e o mar de ouro, e as galinhas, posto o ovo, cantavam, e pelas vielas se ouvia o toque do chifre do leproso. Ele passava todas as manhãs pedindo a contribuição para os seus companheiros de desventura. Chamava-se Galateo e carregava no pescoço um chifre de caça cujo toque advertia de longe de sua chegada. As mulheres ouviam o chifre e punham no canto da mureta ovos, abobrinhas ou tomates, e às vezes um pequeno coelho já limpo; e depois fugiam para se esconder levando as crianças, porque ninguém deve permanecer nas ruas por onde passa o leproso: a lepra pega de longe e até vê-lo era perigoso. Precedido pelos toques agudos do chifre, Galateo vinha devagar pelos becos desertos, com o grande cajado nas mãos, e a roupa comprida toda rasgada que arrastava pelo chão. Tinha cabelos compridos, amarelados, parecendo estopa e um rosto branco arredondado, já meio carcomido pela lepra. Recolhia as ofertas, enfiava-as na cesta de vime e lançava agradecimentos para as casas dos camponeses escondidos, com sua voz melosa, misturando sempre alguma alusão maligna ou para fazer rir.

Naquela época, nas regiões próximas do mar, a lepra era um mal difuso, e havia perto de nós uma pequena aldeia, Prado do Cogumelo, habitada apenas por leprosos, aos quais devíamos dar contribuições, que eram justamente recolhidas por Galateo. Quando alguém do litoral ou do campo era atingido pela lepra, deixava parentes e amigos e ia para Prado do Cogumelo passar o resto da vida esperando ser devorado pelo mal. Falava-se de grandes festas que acolhiam os recém-chegados: de longe ouviam-se subir sons e cantos das casas dos leprosos até a noite.

Diziam muitas coisas de Prado do Cogumelo, embora ninguém entre os saudáveis jamais tivesse ido lá; mas todos concordavam em dizer que lá a vida era uma perpétua diversão. Antes de se tornar asilo de leprosos a aldeia fora um covil de prostitutas para onde iam marinheiros de todas as raças e religiões: e parecia que as mulheres ainda conservavam os costumes licenciosos daqueles tempos. Os leprosos não plantavam, exceto uma vinha de uva vermelha cujo vinho os mantinha em estado de leve embriaguez o ano inteiro. A grande ocupação dos leprosos era tocar instrumentos estranhos inventados por eles, harpas com sininhos pendurados nas cordas, e cantar em falsete, e pintar ovos com pinceladas coloridas como se fosse sempre Páscoa. Assim, rodopiando com músicas dulcíssimas, com guirlandas de jasmim ao redor das faces desfiguradas, esqueciam a convivência humana da qual a doença os afastara.

Nenhum de nossos médicos jamais se responsabilizara pelos leprosos, mas quando Trelawney se estabeleceu entre nós, esperava-se que ele quisesse dedicar a sua ciência à cura daquela praga em nossas terras. Também eu, da minha forma infantil, partilhava tais esperanças: havia tempos sentia uma grande vontade de ir até Prado do Cogumelo e assistir às festas dos leprosos; e se o doutor se dedicasse a experimentar seus remédios com aqueles desgraçados, talvez me permitisse algumas vezes acompanhá-lo até o interior da aldeia. Mas nada disso aconteceu: mal ouvia o chifre de Galateo, o dr. Trelawney fugia correndo, temendo o contágio mais do que ninguém. Algumas vezes tentei interrogá-lo sobre a natureza daquela doença, mas ele deu respostas evasivas e fragmentadas, como se bastasse a palavra *lepra* para perturbá-lo.

No fundo, não sei por que insistíamos em considerá-lo um médico: pelos animais, em especial os menores, pelas pedras, pelos fenômenos naturais se interessava muito, mas os seres humanos e suas doenças o enchiam de repugnância e desânimo. Tinha aversão a sangue, só tocava os doentes com a ponta dos dedos, e diante dos casos graves tapava o nariz com um lenço de seda molhado em vinagre. Pudico como uma donzela, enrubescia ao ver um corpo nu; e se fosse uma mulher, ele mantinha os olhos baixos e gaguejava; mulheres, em suas longas viagens pelos oceanos, parece que nunca havia conhecido. Por sorte, nessa época, entre nós os partos eram trabalho para parteiras e não para médicos, caso contrário, quem sabe como enfrentaria a tarefa.

Meu tio teve a ideia dos incêndios. Durante a noite, de repente, ardia um celeiro de camponeses miseráveis ou uma árvore boa para lenha ou então um bosque inteiro. Aí ficávamos até de manhã passando baldes d'água de mão em mão para apagar as chamas. As vítimas eram sempre pobres que tinham discutido com o visconde por causa de alguma de suas sentenças cada vez mais severas e injustas ou de tributos que havia duplicado. Não satisfeito de incendiar os bens, começou a pôr fogo nas casas: parecia que se aproximava à noite e depois escapava a cavalo; mas nunca ninguém conseguia apanhá-lo em flagrante. Certa vez morreram dois velhos; depois, um rapaz ficou com o crânio esfolado. Crescia entre os camponeses o ódio contra ele. Seus inimigos mais obstinados eram as famílias de religião huguenote que moravam em Col Gerbido; lá, os homens montavam guarda, fazendo turnos a noite inteira para prevenir incêndios.

Sem nenhuma razão plausível, certa noite foi até as casas de Prado do Cogumelo, que tinham teto de palha, e jogou contra elas alcatrão e fogo. Os leprosos têm a capacidade de não sentir dor quando queimados e, caso apanhados pelas chamas durante o sono, certamente não teriam mais despertado. Porém, afastando-se a cavalo, o visconde ouviu se elevar da aldeia a cavatina de um violino: os moradores de Prado do Cogumelo estavam acordados, distraídos em seus divertimentos. Chamuscaram-se todos, mas não sentiram dores e se divertiram ao modo deles. Logo apagaram o incêndio; mesmo as casas, talvez por estarem igualmente infectadas de lepra, sofreram poucos danos com as chamas.

A maldade de Medardo voltou-se também contra seu próprio bem: o castelo. O fogo elevou-se da ala em que dormiam os servos e se espalhou entre urros altíssimos de quem havia ficado prisioneiro, enquanto o visconde foi visto cavalgando pelo campo. Tratava-se de um atentado contra a vida de sua ama e mãe substituta, Sebastiana. Com a obstinação autoritária que as mulheres pretendem manter sobre aqueles que viram pequenos, Sebastiana não deixava de recriminar cada novo malefício do visconde, mesmo quando todos se convenceram de que sua natureza estava voltada para uma crueldade irreparável, insana. Sebastiana foi retirada em mau estado dos cômodos carbonizados e teve de ficar de cama vários dias, para curar as queimaduras.

Uma noite, a porta do quarto em que jazia se abriu e o visconde lhe apareceu ao lado da cama.

— Que são estas marcas em seu rosto, ama? — disse Medardo, apontando para as queimaduras.

— Marcas de seus pecados, filho — disse a velha, serena.

— Sua pele está manchada e retorcida; qual é o problema, ama?

— Um mal que não é nada, meu filho, comparado ao que lhe tocará no inferno, se não se arrepender.

— É melhor que se restabeleça logo: não gostaria que soubessem por aí desse mal que a...

— Não estou à procura de marido, para me preocupar com meu corpo. A consciência tranquila é suficiente para mim. Tomara você pudesse dizer o mesmo.

— Todavia, seu marido a espera, para levá-la junto com ele, não sabia?

— Não deboche da velhice, filho, você que teve a juventude prejudicada.
— Não estou brincando. Escute, ama: aí está seu noivo tocando sob a sua janela...

Sebastiana apurou o ouvido e ouviu o som do chifre do leproso fora do castelo.

No dia seguinte, Medardo mandou chamar o dr. Trelawney.

— Manchas suspeitas apareceram não se sabe como no rosto de uma nossa velha criada — disse ao doutor. — Todos receamos que seja lepra. Doutor, confiamos nas luzes de sua sapiência.

Trelawney inclinou-se gaguejando:

— É meu dever, milorde... sempre às suas ordens, milorde...

Virou-se, saiu, raspou-se do castelo, levando junto um barrilzinho de vinho *cancarone*, e desapareceu nos bosques. Não foi visto durante uma semana. Quando voltou, a ama Sebastiana fora mandada à aldeia dos leprosos.

Deixara o castelo ao anoitecer, vestida de negro e com o rosto coberto, levando no braço um embrulho com suas coisas. Sabia que sua sorte estava definida: devia tomar o rumo de Prado do Cogumelo. Deixou o quarto em que fora confinada até então, e não havia ninguém nos corredores nem nas escadas. Desceu, atravessou o pátio, saiu campo afora: tudo deserto, à sua passagem todos se retiravam e se escondiam. Ouviu um chifre de caça modular um chamado em surdina, em duas notas: pouco adiante no caminho estava Galateo, que erguia para o céu a boca de seu instrumento. A ama movimentou-se com passos lentos; a estrada ia na direção do pôr do sol; Galateo a precedia com boa distância, parando de vez em quando como se contemplasse os zangões que zumbiam entre as folhas, levantava o chifre e obtinha um triste acorde; a ama olhava as hortas e as margens que estava abandonando, sentia por trás das sebes a presença das pessoas que se afastavam dela, e recomeçava a andar. Sozinha, seguindo Galateo de longe, chegou a Prado do Cogumelo, e os portões da aldeia se fecharam atrás dela, enquanto as harpas e os violinos começaram a soar.

O dr. Trelawney me decepcionara completamente. Não ter levantado um dedo para impedir que a velha Sebastiana fosse condenada ao leprosário — mesmo sabendo que suas manchas não eram de lepra — era um sinal de vilania e senti pela primeira vez certa aversão pelo doutor. Convém acrescentar que, ao fugir para o bosque, não me levou junto, mesmo sabendo quanto lhe teria sido útil como caçador de esquilos e catador de framboesas. Agora, sair com ele em busca de fogos-fátuos já não me agradava como antes, e muitas vezes andava sozinho, à procura de novas companhias.

As pessoas que mais me atraíam agora eram os huguenotes que moravam em Col Gerbido. Era gente que fugira da França, onde o rei mandava cortar em pedaços todos os que seguissem a religião deles. Na travessia das montanhas haviam perdido seus livros e objetos sacros, e agora não tinham mais nem Bíblia para ler, nem missa para celebrar, nem hinos para cantar, nem orações para recitar. Desconfiados como todos os que sofreram perseguições e que vivem no meio de gente que professa outra fé, não tinham aceitado receber nenhum livro religioso, nem ouvir conselhos sobre o modo de celebrar seus cultos. Se alguém vinha procurá-los declarando-se um irmão huguenote, temiam que fosse um emissário do papa disfarçado e se encerravam no silêncio. Assim, puseram-se a cultivar as duras terras de Col Gerbido e se extenuavam a trabalhar, homens e mulheres, da madrugada até depois do pôr do sol, na esperança de que a graça os iluminasse. Pouco entendidos no que era pecado, para não enganar-se multiplicavam as proibições e tinham se reduzido a observar um ao outro com olhos severos, vigiando se algum mínimo gesto traía uma intenção culposa. Lembrando confusamente as disputas da Igreja deles, abstinham-se de nomear Deus e qualquer outra expressão religiosa, com medo de falar de um modo sacrílego. Assim, não seguiam nenhuma regra de culto, e provavelmente nem ousavam formular pensamentos sobre questões de fé, mesmo conservando uma gravidade absorta como se pensassem sempre nisso. Ao contrário, as regras de sua agricultura fatigante com o tempo haviam adquirido um valor similar ao dos mandamentos, caso dos hábitos de parcimônia a que eram obrigados e das virtudes domésticas das mulheres.

Constituíam uma grande família cheia de netos e noras, todos altos e calejados, e trabalhavam a terra sempre vestidos para festa, de negro e abotoados, os homens com o chapéu de abas largas e caídas e as mulheres com toucas brancas. Os homens usavam barbas compridas e andavam sempre com a espingarda a tiracolo, mas dizia-se que nenhum deles jamais havia disparado, exceto nos pássaros, pois isso era proibido pelos mandamentos.

Dos planaltos calcáreos onde com muito esforço crescia alguma mísera videira e um trigo raquítico, erguia-se a voz do velho Ezequiel que berrava sem cessar de punhos erguidos para o céu, tremendo com a branca barba caprina, girando os olhos sob o chapéu em forma de funil: "Peste e carestia! Peste e carestia!", e gritando com os parentes encurvados pelo trabalho: "Vamos com essa enxada, Giona! Arranca o capim, Susanna! Tobia, espalha o estrume!", e disparava mil ordens e recriminações com o enfado de quem se dirige a um bando de ineptos e esbanjadores, e cada vez, depois de ter gritado as mil coisas que deviam fazer para que o campo não se estragasse, punha-se a executá-las ele também, expulsando os outros e sempre berrando: "Peste e carestia!".

Sua mulher, ao contrário, não gritava nunca, e parecia, diferentemente dos outros, segura de uma religião secreta, estabelecida nos mínimos detalhes, mas sobre a qual não conversava com ninguém. Bastava-lhe observar fixamente, com seus olhos de grandes pupilas, e dizer, com os lábios cerrados: "Mas tem certeza, irmã Rachele? Mas tem certeza, irmão Aronne?", para que os raros sorrisos desaparecessem das bocas dos familiares e as expressões se tornassem graves e atentas.

Uma noite, cheguei a Col Gerbido enquanto os huguenotes estavam pregando. Não que pronunciassem palavras e estivessem de mãos dadas ou ajoelhados; estavam enfileirados na vinha, os homens de um lado e as mulheres do outro e, no fundo, o velho Ezequiel com a barba no peito. Olhavam direto para a frente, com as mãos fechadas pendendo dos longos braços nodosos, mas embora parecessem absortos não perdiam o conhecimento daquilo que os circundava, e Tobia estendeu uma das mãos e retirou uma lagarta, de uma videira, Rachele com a sola de pregos esmagou uma lesma, e o próprio Ezequiel tirou de repente o chapéu para espantar os pássaros que atacavam o trigo.

A seguir entoaram um salmo. Não se lembravam das palavras mas somente da ária, e nem esta sabiam bem, e muitas vezes alguém desafinava ou talvez todos desafinassem sempre, mas não desistiam, e acabada uma estrofe começavam outra, sempre sem pronunciar as palavras.

Senti me puxarem pela manga e era o pequeno Esaú fazendo sinal para que eu ficasse quieto e o seguisse. Esaú tinha a mesma idade que eu; era o último filho do velho Ezequiel; dos parentes só tinha a expressão do rosto dura e tensa, mas com um fundo de malícia marota. Andando de quatro pela vinha nos afastamos, enquanto ele me dizia:

— Ainda vão demorar mais meia hora; haja paciência! Venha ver a minha caverna.

A caverna de Esaú era secreta. Ele se escondia lá para que os seus não o encontrassem e não o mandassem pastorear cabras ou tirar as lesmas das verduras. Ali passava dias inteiros sem fazer nada, enquanto o pai o procurava aos berros pelos campos.

Esaú tinha uma provisão de tabaco e, pendurados na parede, guardava dois cachimbos compridos de louça. Encheu um e queria que eu fumasse. Ensinou-me a acender e lançava grandes baforadas com uma avidez que eu nunca tinha visto num jovem. Era a primeira vez que eu fumava. Para me deixar à vontade, Esaú pegou uma garrafa de aguardente e me serviu um copo que me fez tossir e revirar as tripas. Ele a bebia como se fosse água.

— Para me embebedar é preciso uma boa quantidade — disse.

— Onde conseguiu todas estas coisas que tem aqui? — perguntei-lhe.

Esaú fez um gesto de quem raspa com os dedos:
— Roubei.

Tornara-se o chefe de um bando de rapazes católicos que saqueavam os campos das redondezas; e não só limpavam as árvores frutíferas, mas também entravam nas casas e nos galinheiros. E xingavam mais alto e mais vezes até do que mestre Pedroprego: conheciam todos os palavrões católicos, e huguenotes e os trocavam entre eles.

— Mas cometo também vários outros pecados — me explicou —, presto testemunhos falsos, me esqueço de aguar os feijões, não respeito pai e mãe, volto para casa tarde da noite. Agora quero cometer todos os pecados possíveis; mesmo aqueles que ainda não sou suficientemente adulto para entender.

— Todos os pecados? — disse-lhe eu. — Mesmo matar?
Deu de ombros:
— Matar agora não me convém e não me interessa.

— Meu tio mata e manda matar por prazer, dizem — comentei eu, para ter alguma coisa minha para contrapor a Esaú.

Ele cuspiu.

— Um prazer de imbecis — disse.

Depois trovejou e começou a chover.

— Vão procurar por você em casa — disse a Esaú. Ninguém nunca procurava por mim, mas percebia que outros rapazes eram sempre procurados pelos pais, especialmente quando o tempo estava ruim, e pensei que fosse uma coisa importante.

— Vamos esperar aqui a chuva passar — disse Esaú —, e enquanto isso vamos jogar dados.

Pegou os dados e uma pilha de notas. Dinheiro eu não tinha, por isso apostei assobios, facas e atiradeiras — e perdi tudo.

— Não desanime — me disse por fim Esaú. — Sabe, eu trapaceio.

Lá fora: trovões, relâmpagos e chuva sem parar. A gruta de Esaú começou a alagar-se. Ele pôs o tabaco e as outras coisas a salvo e disse:

— Vamos ter dilúvio a noite inteira: é melhor correr e nos proteger em casa.

Estávamos encharcados e cheios de lama quando chegamos à casa do velho Ezequiel. Os huguenotes estavam sentados ao redor da mesa, à luz de uma lamparina, e tentavam lembrar-se de algum episódio da Bíblia, tratando de contá-lo como algo que pareciam ter lido um dia, com significado e verdade incertos.

— Peste e carestia! — gritou Ezequiel dando um soco na mesa, que apagou a lamparina, quando seu filho Esaú apareceu comigo no vão da porta.

Comecei a bater os dentes. Esaú deu de ombros. Do lado de fora parecia que os trovões e relâmpagos descarregavam sobre Col Gerbido. Enquanto reacendiam a lamparina, o velho com os punhos cerrados enumerava os pecados do filho como os mais nefandos que um ser humano tivesse cometido, mas só conhecia parte deles. A mãe concordava muda, e todos os demais filhos e genros e noras e netos ouviam com o queixo no peito e o rosto escondido entre as mãos. Esaú, maçã na mão, mordiscava como se a briga não fosse com ele. Eu, entre os relâmpagos e a voz de Ezequiel, tremia feito um caniço.

A gritaria foi interrompida pela volta dos homens que faziam a guarda, com sacos no lugar de capuzes, todos ensopados. Os huguenotes faziam turnos a noite inteira, armados de escopetas, foices e garfos de feno para prevenir as incursões traiçoeiras do visconde, já inimigo declarado deles.

— Pai! Ezequiel! — disseram aqueles huguenotes. — É uma noite de lobos. Na certa o Capenga não vai aparecer. Podemos nos abrigar em casa, pai?

— Aí fora não há sinais do Manco? — perguntou Ezequiel.

— Não, pai, exceto o cheiro de queimado que os raios deixam. Esta não é noite para o Aleijão.

— Então, fiquem em casa e troquem de roupa. Que a tempestade traga paz para o Arrebentado e para nós.

Capenga, Manco, Aleijão, Arrebentado eram alguns dos apelidos com que os huguenotes indicavam meu tio; nunca os ouvi pronunciar seu verdadeiro nome. Ostentavam nas conversas uma espécie de intimidade com o visconde, como se o conhecessem muito bem, como se ele fosse um velho inimigo. Diziam entre eles frases breves seguidas de piscadelas e risadinhas: "Eh, eh, o Manco... Assim mesmo, o Meio-Surdo...", como se todas as loucuras tenebrosas de Medardo fossem claras e previsíveis para eles.

Assim estavam falando, quando na tempestade se ouviu um soco na porta.

— Quem bate com um tempo destes? — disse Ezequiel.
— Rápido, abram.

Abriram e no umbral estava o visconde rígido na única perna, enrolado em seu manto negro gotejante, com o chapéu de plumas encharcado.

— Amarrei meu cavalo na estrebaria de vocês — disse. — Rogo que me deem hospitalidade também. A noite está feia para um viajante.

Todos olharam para Ezequiel. Eu tinha me escondido debaixo da mesa, para que meu tio não descobrisse que frequentava aquela casa inimiga.

— Sente-se próximo do fogo — disse Ezequiel. — Nesta casa o hóspede é sempre bem-vindo.

Perto do umbral havia um monte de lençóis usados para estender sob as árvores na colheita de azeitonas; Medardo deitou-se sobre eles e adormeceu.

No escuro, os huguenotes se juntaram ao redor de Ezequiel.

— Pai, agora nós o temos em nossas mãos, o Capenga! — cochicharam. — Vamos deixá-lo fugir? Devemos permitir que pratique outros crimes contra os inocentes? Ezequiel, não chegou a hora de pagar suas culpas, o Abúndeo?

O velho ergueu o punho em direção ao teto:

— Peste e carestia! — gritou, se é possível dizer que grita quem fala sem emitir quase nenhum som, mas com toda a sua força. — Em nossa casa, nenhum hóspede jamais foi maltratado. Vou montar guarda eu próprio para proteger o sono dele.

E com a espingarda a tiracolo plantou-se ao lado do visconde reclinado. O olho de Medardo se abriu.

— O que faz aqui, mestre Ezequiel?

— Protejo o seu sono, hóspede. Muitos o odeiam.

— Sei disso — disse o visconde —, não durmo no castelo porque receio que os servos me matem durante o sono.

— Tampouco gostamos do senhor em minha casa, mestre Medardo. Mas esta noite será respeitado.

O visconde ficou em silêncio, depois disse:

— Ezequiel, quero converter-me à religião de vocês.

O velho não disse nada.

— Estou cercado por gente não confiável — continuou Medardo. — Gostaria de me livrar deles todos e chamar os huguenotes para o castelo. O senhor, mestre Ezequiel, será o meu ministro. Vou declarar Terralba território huguenote e começarei a guerra contra os príncipes católicos. O senhor e seus familiares serão os chefes. Está de acordo, Ezequiel? Pode me converter?

O velho estava duro, imóvel com o peito grande atravessado pela correia do fuzil.

— Esqueci coisas demais da nossa religião — disse — para que possa ousar converter alguém. Permanecerei em minhas terras segundo minha consciência. O senhor nas suas com a sua.

O visconde ergueu-se sobre o cotovelo.

— Sabe, Ezequiel, que ainda não informei a Inquisição sobre a presença de hereges em meu território? E que suas cabeças mandadas de presente ao nosso bispo me permitiriam voltar imediatamente às boas graças da cúria?

— Nossas cabeças ainda estão coladas em nossos pescoços, senhor — disse o velho —, mas existe algo que é ainda mais difícil de nos arrancar.

Medardo ficou de pé num salto e abriu a porta.

— Dormirei mais tranquilo debaixo daquele carvalho do que em casa de inimigos. — E foi embora debaixo de chuva.

O velho chamou os outros:

— Filhos, estava escrito que primeiro viesse o Capenga visitar-nos. Agora ele se foi; o caminho de nossa casa está livre; não se desesperem, filhos: talvez um dia passe um viajante melhor.

Todos os huguenotes barbudos e as mulheres com toucas inclinaram a cabeça.

— E mesmo que não venha ninguém — acrescentou a mulher de Ezequiel —, permaneceremos em nosso lugar.

Naquele momento, um raio riscou o céu, e o trovão fez tremer as telhas e as pedras das paredes. Tobia gritou:
— O raio caiu no carvalho! Está queimando!
Correram para fora com as lanternas, e viram a grande árvore carbonizada pela metade, do alto da copa às raízes, e a outra metade estava intacta. Distante sob a chuva, ouviram os cascos de um cavalo e com um relâmpago viram a figura coberta do magro cavaleiro.
— Você nos salvou, pai — disseram os huguenotes. — Obrigado, Ezequiel.
O céu clareava no levante trazendo a aurora.
Esaú me chamou de lado:
— Diga se não são tontos — me disse baixo —, veja o que aproveitei para fazer. — E mostrou a mão cheia de objetos brilhantes. — Todas as tachas de ouro da sela, peguei tudo enquanto o cavalo estava amarrado na estrebaria. Diga se não são tontos em não pensar nisso.
Esse jeito de agir de Esaú não me agradava, e o de seus parentes me inibia. Preferi então ficar só e ir até a praia pegar moluscos e caçar caranguejos. Enquanto tentava desentocar um filhote de caranguejo na ponta de um rochedo, vi na água calma debaixo de mim espelhar-se uma lâmina acima de minha cabeça, e caí no mar com o susto.
— Segure aqui — disse meu tio, pois fora ele quem se aproximara às minhas costas. E queria que me firmasse na espada, do lado da lâmina.
— Não, dou um jeito sozinho — respondi, e me pendurei num contraforte que um braço d'água separava do resto do rochedo.

— Está procurando caranguejos? — disse Medardo —, estou atrás de polvos. — E me mostrou sua presa.

Eram grandes polvos marrons e brancos. Estavam cortados em dois com um golpe de espada, mas continuavam a mover os tentáculos.

— Que se pudesse partir ao meio toda coisa inteira — disse meu tio, de bruços no rochedo, acariciando aquelas metades convulsivas de polvo —, que todos pudessem sair de sua obtusa e ignorante inteireza. Estava inteiro e para mim as coisas eram naturais e confusas, estúpidas como o ar: acreditava ver tudo e só havia a casca. Se você virar a metade de você mesmo, e lhe desejo isso, jovem, há de entender coisas além da inteligência comum dos cérebros inteiros. Terá perdido a metade de você e do mundo, mas a metade que resta será mil vezes mais profunda e preciosa. E você há de querer que tudo seja partido ao meio e talhado segundo sua imagem, pois a beleza, sapiência e justiça existem só no que é composto de pedaços.

— Ah, ah — dizia eu —, que monte de caranguejos aqui! — E fingia interesse apenas por minha caça, para manter-me distante da espada de meu tio.

Não voltei para a margem enquanto ele não se afastou com seus polvos. Mas o eco das palavras dele continuava a me perturbar e não encontrava sossego para essa sua fúria de dividir tudo ao meio. Para qualquer lado que me virasse, Trelawney, Pedroprego, os huguenotes, os leprosos, todos se encontravam sob o signo do homem partido ao meio, era ele o patrão a quem servíamos e do qual não conseguíamos nos livrar.

6

AFIVELADO NA SELA de seu cavalo saltador, Medardo di Terralba subia e descia desde cedo pelos barrancos, e se debruçava para o vale perscrutando com olho de ave de rapina. Assim viu a pequena pastora Pamela em meio a um prado junto com suas cabras.

O visconde disse consigo mesmo: "Acontece que entre os meus sentimentos intensos não tenho nada que corresponda àquilo que os inteiros chamam de amor. E se para eles um sentimento tão idiota possui tanta importância, o que para mim poderá corresponder a isso, certamente será magnífico e terrível". E decidiu apaixonar-se por Pamela, que, gorduchinha e descalça, com um simples vestidinho rosa, estava de bruços na grama, cochilando, falando com as cabras e cheirando flores.

Mas os pensamentos que ele formulara friamente não devem nos induzir a enganos. Ao ver Pamela, Medardo sentira um vago movimento do sangue, e havia recorrido àqueles argumentos com uma espécie de pressa assustada.

No caminho de volta, ao meio-dia, Pamela viu que todas as margaridas do prado tinham só a metade das pétalas e a outra metade do miolo fora desfolhada. "Ai de mim", disse consigo mesma, "de todas as moças do vale, tinha de acontecer logo comigo!" Havia entendido que o visconde se apaixonara por ela. Colheu todas as meias-margaridas, levou-as para casa e as pôs entre as páginas do missal.

À tarde, foi ao Prado das Freiras para alimentar os patos e fazê-los nadar no pântano. O prado estava coberto de umbelíferas brancas, mas também elas tiveram a sorte das margaridas, como se parte de cada corimbo tivesse sido cortado com uma tesourada. "Ai de mim", disse consigo mesma, "é justamente a mim que ele deseja!", e juntou num maço as flores divididas para colocá-las na moldura do espelho da cômoda.

Depois não pensou mais no caso, amarrou a trança em volta da cabeça, tirou o vestido e tomou banho na lagoa junto com os patos.

À noite, regressando a sua casa, os prados estavam cheios de dentes-de-leão também conhecidos como "soprões". E Pamela viu que tinham perdido as penugens só de um lado, como se alguém tivesse deitado no chão soprando de banda ou só com meia boca. Pamela colheu algumas daquelas meias-esferas brancas, soprou-as e sua penugem macia voou longe. "Ai de mim", disse consigo mesma, "é mesmo comigo. Como vai acabar isso?"

A casa de Pamela era tão pequena que depois de ter feito as cabras entrarem no primeiro andar e os patos no térreo não cabia mais ninguém. Tudo em torno estava cercado de abelhas, pois também cuidavam de colmeias. E debaixo da terra estava cheio de formigueiros: bastava pôr uma das mãos em qualquer lugar para retirá-la negra e formigando. Sendo assim, a mãe de Pamela dormia no paiol, o pai dormia num barril vazio, e Pamela numa rede suspensa entre uma figueira e uma oliveira.

Pamela se deteve no umbral. Havia uma borboleta morta. Uma asa e metade do corpo tinham sido esmagadas por uma pedra. Pamela deu um grito e chamou o pai e a mãe.

— Quem esteve aqui? — disse Pamela.

— Há pouco passou o nosso visconde — disseram o pai e a mãe —, disse que estava atrás de uma borboleta que o havia picado.

— Desde quando as borboletas picam alguém? — disse Pamela.

— Bah, nós também queríamos saber.

— A verdade é — disse Pamela — que o visconde se apaixonou por mim e devemos estar preparados para o pior.

— Ah, ah, não deixe que lhe suba à cabeça, não exagere — responderam os velhos, como sempre os velhos costumam responder, quando não são os jovens que respondem assim.

No dia seguinte, quando chegou à pedra onde costumava sentar-se pastoreando as cabras, Pamela deu um berro. Restos horrendos enfeavam a pedra: eram a metade de um morcego e a metade de uma medusa, uma pingando sangue negro e a outra, matéria viscosa, uma com a asa aberta e a outra com as moles franjas gelatinosas. A pastora percebeu que era uma mensagem. Significava: encontro hoje à noite na praia. Pamela tomou coragem e foi.

Junto ao mar, sentou-se nas pedras e ficou escutando o sussurro da onda branca. A seguir, um tropel sobre as pedras e Medardo galopava pela margem. Deteve-se, tirou a fivela, apeou.

— Pamela, eu decidi apaixonar-me por você — disse ele.

— E é por isso — empertigou-se ela — que destrói todas as criaturas da natureza?

— Pamela — suspirou o visconde —, não temos nenhuma outra linguagem para nos comunicar senão esta. Cada encontro de duas criaturas no mundo é uma dilaceração. Venha comigo, conheço esse mal e você há de estar mais segura do que com qualquer outro; porque faço o mal como todos, mas, diferentemente dos outros, tenho a mão firme.

— E vai me estraçalhar como as margaridas ou as medusas?

— Não sei o que vou fazer com você. Certamente, tê-la comigo me tornará possível coisas que nem imagino. Vou levá-la para o castelo e encerrá-la ali e nenhum outro há de vê-la e teremos meses e anos para entender o que deveremos fazer e inventar sempre novos modos para estar juntos.

Pamela estava deitada no cascalho e Medardo se ajoelhara ao lado dela. Ao falar, gesticulava envolvendo-a com a mão, mas sem tocá-la.

— Bem: tenho de saber antes o que vai fazer comigo. Seria uma boa ideia me dar uma amostra agora para eu decidir se vou ou não para o castelo.

O visconde lentamente aproximou da bochecha de Pamela a sua mão fina e adunca. A mão tremia e não dava para entender se ensaiava uma carícia ou um arranhão. Mas ele não chegara a tocá-la, quando retraiu a mão de repente e se levantou.

— É no castelo que a desejo — disse içando-se até o cavalo —, vou preparar a torre onde você há de morar. Dou-lhe mais um dia para pensar e depois terá de chegar a uma decisão.

E dizendo isso esporeou o animal pela praia afora.

No dia seguinte, Pamela subiu como de hábito na amoreira para colher as frutinhas e ouviu gemer e espojar-se entre os galhos. Por pouco não caiu do susto. Num ramo alto estava amarrado um galo pelas asas, e grandes lagartas azuis e cabeludas o devoravam: um ninho de processionárias, insetos terríveis que vivem nos pinheiros, fora colocado bem na sua crista.

Na certa era outra das terríveis mensagens do visconde. E Pamela interpretou: "Ao amanhecer nos vemos no bosque".

Com a desculpa de encher um saco de pinhas, Pamela subiu até o bosque, e Medardo saiu de trás de um tronco apoiado em sua muleta.

— Então — perguntou a Pamela —, resolveu vir para o castelo?

Pamela estava recostada sobre as agulhas de pinheiro.

— Resolvi não ir — disse virando-se de leve. — Se me quiser, venha me encontrar aqui no bosque.

— Há de vir para o castelo. A torre onde vai morar está pronta e será todinha sua.

— O senhor quer me manter prisioneira lá e depois talvez me torrar num incêndio ou fazer os ratos me roerem. Não, não. Já lhe disse: serei sua se quiser, mas aqui nas agulhas de pinheiro.

O visconde estava de cócoras junto à cabeça dela. Tinha uma agulha de pinheiro na mão; aproximou-a do pescoço da moça e passou-a em sua pele. Pamela sentiu arrepios, mas aguentou firme. Via o rosto do visconde inclinado sobre ela, aquele perfil que continuava a ser um perfil mesmo visto de frente e aquelas meias-bandas de dentes abertas num sorriso em forma de tesoura. Medardo apertou a agulha de pinheiro na mão e quebrou-a. Ergueu-se.

— É trancada no castelo que a desejo, trancada no castelo!

Pamela percebeu que podia arriscar-se, e balançava no ar os pés descalços enquanto dizia:

— Aqui no bosque, não digo que não; fechada, nem morta.

— Encontrarei um jeito de arrastá-la! — disse Medardo pondo a mão no dorso do cavalo que tinha se aproximado como se passasse ali por acaso. Subiu na sela e arrancou pelos atalhos da floresta.

Naquela noite Pamela dormiu em sua rede pendurada entre a oliveira e a figueira, e de manhã, que horror! encontrou no colo uma pequena carcaça sangrando. Era um meio-esquilo, cortado como de hábito em sentido longitudinal, mas com a pele intacta.

— Ai de mim, pobre de mim — disse aos pais —, este visconde não me deixa em paz.

O pai e a mãe passaram de mão em mão a carcaça do esquilo.

— Contudo — disse o pai —, deixou a cauda inteira. Quem sabe não é um bom sinal...

— E se estivesse começando a ficar bom... — disse a mãe.

— Sempre corta tudo em dois — disse o pai —, mas o que o esquilo tem de mais bonito, a cauda, ele respeita...

— Esta mensagem talvez queira dizer — comentou a mãe — que tudo o que você tiver de bonito ele há de respeitar...

Pamela pôs as mãos na cabeça.

— O que tenho de ouvir de vocês, pai e mãe! Estão escondendo alguma coisa de mim: o visconde falou com vocês...

— Falar não — disse o pai —, mas mandou dizer que pretende nos visitar e que vai se interessar por nossas misérias.

— Pai, se ele vier conversar, tire a tampa das colmeias e mande as abelhas para cima dele.

— Filha, talvez mestre Medardo esteja melhorando... — disse a velha.

— Mãe, se ele vier falar com vocês, amarrem-no em cima do formigueiro e deixem-no lá.

Naquela noite, o paiol onde dormia a mãe pegou fogo e o barril onde dormia o pai foi quebrado. De manhã, os dois velhotes contemplavam os restos do desastre quando apareceu o visconde.

— Lamento tê-los assustado esta noite — disse —, mas não sabia como entrar no assunto. O fato é que sua filha Pamela me agrada e gostaria de levá-la para o castelo. Por isso peço-lhes formalmente que me deem sua mão. A vida dela vai mudar e a de vocês também.

— Imagine se nós não ficaríamos contentes, senhor! — disse o velhote. — Mas se soubesse o temperamento que tem minha filha! Veja só: disse para jogá-lo contra as abelhas das colmeias...

— Imagine, senhor... — disse a mãe —, sugeriu amarrá-lo ao formigueiro...

Sorte que Pamela voltou cedo para casa nesse dia. Encontrou o pai e a mãe amarrados e amordaçados, ele na colmeia, ela no formigueiro. Mais sorte ainda: as abelhas conheciam o velho e as formigas tinham mais o que fazer além de picar a velha. Assim pôde salvar os dois.

— Viram como o visconde ficou bonzinho? — disse Pamela.

Mas os dois velhotes andavam matutando alguma coisa. E no dia seguinte amarraram Pamela e a prenderam em casa com os animais; e foram ao castelo dizer ao visconde que se quisesse a filha deles podia mandar buscá-la, pois estavam dispostos a entregá-la.

Mas Pamela sabia conversar com seus animais. Dando bicadas, os patos a libertaram das cordas, e com chifradas as cabras arrebentaram a porta. Pamela correu, levou junto a cabra e a pata preferidas, e foi viver no bosque. Estava numa gruta conhecida só por ela e por um menino que lhe levava alimentos e notícias.

Esse menino era eu. Com Pamela no bosque a vida era bela. Levava-lhe fruta, queijo e peixes fritos e ela em troca me oferecia algumas xícaras de leite de cabra e alguns ovos de pata. Quando ela tomava banho nos pântanos e nos riachos eu montava guarda para que ninguém a visse.

Meu tio passava às vezes pelo bosque, mas se mantinha ao largo, mesmo manifestando a sua presença nos tristes modos que lhe eram próprios. Às vezes, um rolar de pedras tocava Pamela e seus animais; em outras ocasiões, um tronco de pinheiro ao qual ela se apoiava cedia, minado na base por golpes de machadinha; às vezes ainda, uma nascente se descobria poluída por restos de animais mortos.

Meu tio havia começado a caçar, com uma besta que ele conseguia manobrar com o único braço. Mas se tornara ainda mais fechado e magro, como se novas penas roessem aquele seu resto de corpo.

Certo dia, o dr. Trelawney andava comigo pelos campos quando o visconde veio ao nosso encontro a cavalo e quase o atropelou, fazendo-o cair. O cavalo tinha parado com o casco no peito do inglês, e meu tio disse:

— Explique-me o senhor, doutor: tenho a sensação de que a perna que não possuo está cansada de tanto caminhar. O que isso pode significar?

Trelawney confundiu-se e gaguejou como de hábito, e o visconde saiu disparado. Mas a pergunta deve ter impressionado o doutor, que se pôs a refletir, segurando a cabeça com as mãos. Nunca tinha visto nele tanto interesse por uma questão de medicina humana.

7

AO REDOR DE PRADO DO COGUMELO cresciam moitas de hortelã-pimenta e sebes de alecrim, e não se entendia se eram silvestres ou eram canteiros de uma horta de temperos. Eu caminhava com o peito cheio de um perfume adocicado, procurando o caminho para encontrar a velha Sebastiana.

Desde que Sebastiana desaparecera pelo caminho que conduzia à aldeia dos leprosos, lembrava-me com maior frequência de que era órfão. Angustiava-me por não saber mais nada sobre ela; pedia notícias a Galateo, gritando trepado numa árvore quando ele passava; mas Galateo era inimigo das crianças, que às vezes atiravam nele lagartixas vivas de cima das árvores, e dava respostas zombeteiras e incompreensíveis, com sua voz melosa e sonora. E agora, à curiosidade de entrar em Prado do Cogumelo somava-se a de rever a grande ama, e eu circulava sem descanso entre as moitas perfumadas.

De repente, de uma moita de tomilho ergueu-se uma figura vestida de claro, com um chapéu de palha, e caminhou na direção da aldeia. Era um velho leproso, e eu pretendia perguntar-lhe sobre a ama, e acercando-me o suficiente para me fazer ouvir, mas sem gritar, disse:

— Ei, senhor leproso!

Mas naquele momento, talvez despertado por minhas palavras, justamente perto de mim uma outra figura sentou-se e estendeu as pernas. Trazia, o rosto todo escamoso feito uma casca seca, e uma barba branca e rarefeita, que parecia lã. Pegou um assobio no bolso e soprou na minha direção, como se estivesse me provocando. Então me dei conta de que a tarde de sol estava repleta de leprosos deitados, escondidos nas moitas, e agora se levantavam devagar com seus roupões claros, e caminhavam à contraluz rumo a Prado do Cogumelo, levando nas mãos instrumentos musicais ou de jardinagem, e com eles faziam barulho. Retrocedera para afastar-me daquele homem barbudo, mas quase acabei em cima de uma leprosa sem nariz que se penteava entre os ramos de um loureiro, e embora saltasse pelo bosque, esbarrava apenas contra outros leprosos e me dava conta de que os passos que podia dar eram apenas na direção de Prado do Cogumelo, cujos tetos de palha enfeitados com fileiras de pipas já estavam próximos, ao pé da primeira curva.

Os leprosos só me dirigiam atenção de vez em quando, com piscadelas e acordes de sanfona, mas me parecia que era eu quem estava no meio da marcha deles e eles me acompanhavam a Prado do Cogumelo como um animal capturado. Na aldeia, as paredes das casas eram pintadas de lilás e de uma janela uma mulher meio desgrenhada, com manchas lilases no rosto e no peito, tocadora de lira, gritou:

— Os jardineiros voltaram! — E tocou a lira.

Outras mulheres debruçaram-se nas janelas e nos mirantes, cantando:

— Bem-vindos, jardineiros!

Tratava de manter-me no meio daquela ruazinha e não encostar em ninguém; mas me encontrei numa espécie de encruzilhada, cercado de leprosos, homens e mulheres sentados nos portais de suas casas, com roupas compridas rasgadas e desbotadas sob as quais transpareciam feridas e vergonhas, e nos cabelos, flores de pilriteiro e anêmonas.

Os leprosos apresentavam um concertino que ousaria considerar em minha homenagem. Alguns inclinavam os violinos na minha direção com movimentos exagerados do arco, outros, assim que olhava para eles, imitavam rãs, outros me mostravam estranhas marionetes que subiam e desciam num barbante. O concertino era feito de muitos e disparatados gestos e sons, mas havia uma espécie de estribilho que repetiam de vez em quando: "O pintinho sem manchas foi atrás de amoras e se manchou".

— Procuro a minha ama — falei alto —, a velha Sebastiana: sabem onde está?

Explodiram em risadas, com aquele seu ar esperto e maligno.

— Sebastiana! — gritei. — Sebastiana! Onde você está?
— Aqui, menino — disse um leproso —, bom menino.
— E apontou uma porta.

A porta se abriu e apareceu uma mulher morena, talvez moura, seminua e tatuada, enfeitada com rabos de pipa, que iniciou uma dança licenciosa. Não entendi bem o que sucedeu a seguir: homens e mulheres se lançaram uns sobre os outros e começaram o que depois fiquei sabendo que era uma orgia.

Tornei-me miudinho miudinho quando de repente a grande velha Sebastiana abriu espaço naquele grupo.

— Porcalhões horríveis — disse. — Ao menos um mínimo de consideração por uma alma inocente.

Pegou-me pela mão e me levou embora enquanto eles cantavam: "O pintinho sem manchas foi atrás de amoras e se manchou!".

Sebastiana vestia uma roupa violeta-clara, com corte quase monacal e já algumas manchas deturpavam a sua bochecha sem rugas. Eu estava contente por ter reencontrado a ama, porém desesperado porque me pegara pela mão e certamente me passara a lepra. Falei-lhe disso.

— Não tenha medo — respondeu Sebastiana —, meu pai era um pirata e meu avô um eremita. Sei as propriedades de todas as ervas, contra as doenças tanto nossas quanto mouras. Eles se esfregam com orégano e malva; eu, ao contrário, quieta quieta, com a borragem e o agrião preparo certos cozidos que não me deixarão pegar a lepra enquanto viver.

— E estas manchas que traz no rosto, ama? — perguntei, muito aliviado mas ainda não inteiramente convencido.

— Colofônio. Para fazê-los pensar que também tenho lepra. Vem aqui que lhe dou uma das minhas tisanas quentes quentes, porque para andar neste lugar a prudência nunca é demais.

Tinha me levado até a casa dela, uma cabaninha meio escondida, limpa, com roupas estendidas; e conversamos.

— E Medardo? E Medardo? — me perguntava ela, e todas as vezes que eu tentava falar me interrompia — Ah, que patife! Ah, que malandrinho! Apaixonado! Ah, pobre moça! E aqui, e aqui, não imagina! Se soubesse tudo o que desperdiçam! Coisas que tiramos da boca para dar a Galateo, e aqui sabe o que fazem? Esse Galateo é um belo espertalhão, sabe? Má pessoa, e não é o único! As coisas que fazem durante a noite! E de dia, então! E essas mulheres, sem-vergonha assim nunca tinha visto! Se ao menos soubessem arrumar as coisas, mas nem isso! Bagunceiras e esfarrapadas! Oh, já lhes disse na cara... E elas, sabe o que me responderam, essas tralhas?

Muito contente com a visita à ama, no dia seguinte fui pescar enguias.

Pus o anzol numa lagoa formada pelo rio e enquanto esperava adormeci. Não sei quanto durou meu sono; um ruído me acordou. Abri os olhos e vi sobre a mão aberta acima de minha cabeça uma peluda aranha vermelha. Virei-me e era meu tio com seu manto negro.

Pulei assustado, mas naquele momento a aranha picou a mão de meu tio e desapareceu rapidamente. Meu tio levou a mão aos lábios, chupou de leve a ferida e disse:

— Você dormia e vi uma aranha venenosa descer para seu pescoço vindo daquele ramo. Meti a mão na frente e ela me picou.

Não acreditei numa palavra sequer: por três vezes no mínimo atentara contra minha vida, usando meios parecidos.

Mas agora aquela aranha o havia picado de fato e a mão dele já estava inchando.

— Você é meu sobrinho — disse Medardo.

— Sim — respondi um pouco surpreso, pois era a primeira vez que demonstrava me reconhecer.

— Reconheci-o logo — disse ele. E acrescentou: — Ah, aranha! Tenho uma só mão e você quer envenená-la! De qualquer modo, melhor que tenha tocado a minha mão em vez do pescoço deste jovem.

Que me lembrasse, meu tio nunca tinha me falado assim. A dúvida de que estivesse dizendo a verdade e de repente pudesse ter ficado bom me passou pela cabeça, mas logo a afastei: fingimentos e armadilhas eram habituais nele. Certamente, parecia muito mudado, com uma expressão não mais tensa e cruel porém abatida e aflita, talvez pelo medo e a dor da picada. Mas era também a roupa empoeirada e com corte um pouco diferente do costumeiro que dava essa impressão: seu manto negro estava meio esfarrapado, com folhas secas e ouriços de castanha grudados nas pontas; mesmo a roupa não era do veludo negro de sempre, mas de um fustão pelado em alguns pontos e desbotado, e a perna não estava mais coberta pela comprida bota de couro, e sim por uma meia de lã com listras azuis e brancas.

Para demonstrar que não me interessava por ele, fui olhar se por acaso alguma enguia tinha mordido meu anzol. Nem sombra de enguias, mas vi que no anzol brilhava um anel de ouro com um diamante. Puxei-o e na pedra havia o brasão dos Terralba.

O visconde me seguia com o olhar e disse:

— Não se espante. Passando por aqui, vi uma enguia debater-se presa no anzol e me deu tanta pena que a soltei; depois, pensando no prejuízo que meu gesto dera ao pescador, quis repará-lo com meu anel, última coisa de valor que me resta.

Eu tinha ficado de boca aberta. E Medardo continuou:

— Ainda não sabia que o pescador era você. Depois encontrei-o adormecido no capim e o prazer de vê-lo imediatamente se transformou em apreensão por causa daquela aranha que descia sobre você. O resto já sabe. — E dizendo isso olhou triste para a mão inchada e roxa.

Quem sabe tudo não passasse de uma sequência de enganos cruéis; mas eu pensava como seria bom uma imprevista conversão dos sentimentos dele e quanta alegria também para Sebastiana, Pamela e todos os que sofriam com a sua crueldade.

— Tio — disse a Medardo —, espere aqui por mim. Vou correndo falar com Sebastiana, que conhece todas as ervas, e peço uma que cure as picadas de aranhas.

— A ama Sebastiana... — disse o visconde, deitado com a mão no peito. — Afinal como está?

Não me atrevi a dizer-lhe que Sebastiana não tinha pegado lepra e me limitei a comentar:

— Hã, mais ou menos. Estou indo. — E saí correndo, querendo mais que tudo perguntar a Sebastiana o que achava desses estranhos fenômenos.

Encontrei-a em sua casinha. Estava ansioso pela corrida e pela impaciência, e lhe fiz um relato meio confuso, mas a velha se interessou mais pela picada do que pelas boas ações de Medardo.

— Uma aranha vermelha, é? Sim, sim, conheço a erva certa... Inchou o braço de um lenhador, uma vez... Tornou-se bom, está dizendo? Bem, que posso lhe dizer, sempre foi assim, é preciso saber como tratar com ele... Mas onde enfiei aquela erva? Basta fazer um emplasto. Um malandro desde pequeno, Medardo... Aqui está a erva, tinha guardado um saquinho. Todavia, sempre assim: quando se machucava vinha chorar com a ama... A picada é profunda?

— Está com a mão esquerda assim de inchada — disse.

— Ah, ah, menino... — riu a ama. — A esquerda... E

onde é que mestre Medardo tem a esquerda? Deixou toda a metade esquerda do corpo lá na Boêmia com aqueles turcos, que o diabo os carregue...

— Tem razão — respondi —, contudo... ele estava daquele lado, eu aqui, a mão virada assim... Como pode ser?

— Já não distingue mais a direita da esquerda? — disse a ama. — E olhe que aprendeu quando tinha cinco anos...

Eu já não entendia mais. Na certa Sebastiana tinha razão, porém me lembrava de tudo ao contrário.

— Então, bom menino, leve esta erva para ele — disse a ama, e saí correndo.

Cheguei esbaforido ao riacho, mas meu tio não estava mais lá. Olhei para todos os lados: havia sumido com sua mão inchada e envenenada.

Anoitecia e eu circulava entre as oliveiras. E de repente o vejo, envolto no manto negro, de pé numa das margens apoiado num tronco. Estava de costas e observava o mar. Senti o medo tomar conta de mim outra vez e, com dificuldade, com um fio de voz, consegui dizer:

— Aqui está a erva para a picada...

O meio-rosto se virou de repente, contraído numa careta feroz.

— Que erva, que picada? — gritou.

— A erva, para curar... — disse eu. Pronto, a expressão doce de antes desaparecera, fora só um momento passageiro; agora talvez estivesse voltando lentamente, num sorriso tenso, mas se via bem que era fingimento.

— Sim... muito bem... deixe-a no oco daquele tronco... pego mais tarde... — disse.

Obedeci e meti a mão no buraco. Era um ninho de vespas. Voaram todas para cima de mim. Comecei a correr seguido pelo enxame, e me atirei no riacho. Nadei debaixo d'água e consegui afastar as vespas. Levantando a cabeça, ouvi a risada maldosa do visconde, que se afastava.

Mais uma vez conseguira nos enganar. Mas eu não estava entendendo muitas coisas, e fui conversar com o dr. Trelawney. O inglês se achava na sua casinhola de coveiro, à luz de uma lanterna, inclinado sobre um livro de anatomia humana, coisa rara.

— Doutor — perguntei-lhe —, já aconteceu de um homem picado por uma aranha vermelha escapar incólume?

— Aranha vermelha, você disse? — O doutor deu um pulo. — Quem mais foi picado pela aranha vermelha?

— O visconde, meu tio — disse eu —, e já lhe tinha levado a erva da ama, quando, de bom que parecia ter se tornado, voltou a ser mau e recusou o meu socorro.

— Agorinha tratei o visconde da picada de uma aranha vermelha na mão — disse Trelawney.

— E diga, doutor: pareceu-lhe bom ou mau?

E o doutor me contou como as coisas tinham acontecido.

Depois de eu ter deixado o visconde deitado na grama com a mão inchada, o dr. Trelawney passara por lá. Vislumbra o visconde, e como sempre cheio de medo, trata de esconder-se entre as árvores. Mas Medardo ouvira os passos, se levanta e grita:

— Ei, quem está aí?

O inglês pensa: "Se descobre que sou eu que estou me escondendo, quem sabe o que poderá armar contra mim!", e foge para não ser reconhecido. Mas tropeça e cai na lagoa formada pelo riacho. Mesmo tendo passado a vida em navios, o dr. Trelawney não sabe nadar, se debate no laguinho e pede socorro. Então o visconde diz:

— Espere por mim!

Vai até a margem, desce na água mantendo-se pendurado, com a mão dolorida, numa raiz externa de árvore, estica-se até que seu pé possa ser agarrado pelo doutor. Comprido e fino como é, serve-lhe de corda para que possa alcançar a outra margem.

— Eis-me a salvo e gaguejo: — "Oh, oh, milorde... obrigado, de verdade, milorde... como posso...", e lhe espirro na cara, porque peguei um resfriado.

— Saúde! — diz Medardo —, mas é melhor cobrir-se, por favor. — E lhe coloca seu manto nas costas.

O doutor se defende, mais confuso que nunca. E o visconde lhe diz:

— Pegue, é seu.

Então Trelawney nota a mão inchada de Medardo.

— Que bicho o picou?

— Uma aranha vermelha.

— Deixe-me cuidar do senhor, milorde.

E o leva a sua casinha de coveiro, onde trata da mão com remédios e faixas. Entretanto, o visconde conversa com ele cheio de generosidade e cortesia. Despedem-se com a promessa de se reverem logo e reforçar a amizade.

— Doutor! — disse eu, depois de ouvir o relato dele. — O visconde de quem o senhor tratou, voltou em seguida à sua loucura cruel e atirou um vespeiro em cima de mim.

— Não aquele de quem cuidei — disse o doutor e piscou um olho.

— O que quer dizer, doutor?

— Logo há de saber. Agora não diga nada a ninguém. E deixe-me estudar, pois tempos agitados se aproximam.

E o dr. Trelawney não se preocupou mais comigo: mergulhou de novo em sua insólita leitura do tratado de anatomia humana. Devia ter algum projeto na cabeça, e durante os dias que se seguiram permaneceu reticente e absorto.

Mas começavam a chegar notícias de várias fontes sobre uma natureza dupla de Medardo. Crianças perdidas no bosque, cheias de medo, eram abordadas pelo homem de muleta, que as conduzia para casa pela mão e lhes oferecia figos e bolinhos fritos; viúvas pobres eram ajudadas por ele a carregar lenha; cães picados por cobras eram tratados, presentes misteriosos eram encontrados pelos pobres nos parapeitos e nos portais, árvores frutíferas arrancadas pelo vento eram replantadas e fixadas em seus canteiros antes que os proprietários pusessem o nariz fora da porta.

Porém, ao mesmo tempo as aparições do visconde meio enrolado no manto negro assinalavam acontecimentos terríveis: crianças sequestradas eram encontradas prisioneiras em grutas obstruídas por pedras; avalanches de troncos e rochas rolavam em cima das velhotas; abóboras maduras eram despedaçadas por pura maldade.

Fazia tempo que a besta do visconde só golpeava as andorinhas; e não para matá-las, mas para feri-las e aleijá-las. Contudo, agora podiam ser vistas no céu andorinhas com as patas enfaixadas e amarradas com gravetos de apoio ou com as asas coladas e com curativos; havia um bando de andorinhas assim ataviadas que voavam com prudência todas juntas, feito convalescentes de um hospital de passarinhos, e inverossimilmente dizia-se que o próprio Medardo era o médico.

Certa vez, um temporal apanhou Pamela num lugar distante e não cultivado, com sua cabra e a pata. Sabia que por perto havia uma gruta, embora pequena, uma cavidade apenas esboçada na rocha, e para lá se dirigiu. Viu que dali saía uma bota gasta e remendada, e dentro estava encolhido o meio-corpo envolto no manto negro. Tentou fugir, mas o visconde percebeu que era ela e saindo sob a chuva tamborilante lhe disse:

— Abrigue-se aqui, moça, venha.

— Não, pois não consigo me cobrir — disse Pamela —, porque aí só cabe um, e o senhor quer que eu fique espremida.

— Não tenha medo — disse o visconde. — Ficarei de fora e você poderá ficar à vontade, junto com a sua cabra e a pata.

— Cabra e pata também podem apanhar um pouco d'água.

— Vai ver que protegeremos também elas.

Pamela, que ouvira falar de estranhos acessos de bondade do visconde, pensou: "Vamos ver", e se encolheu na gruta, apertando-se contra os animais. O visconde, de pé ali em frente, segurava o manto como uma tenda para que nem a pata nem a cabra se molhassem. Pamela observou a mão dele segurando o manto, concentrou-se um momento, começou a olhar para as próprias mãos, comparou uma com a outra, e depois explodiu numa grande risada.

— Estou contente de que você esteja alegre, moça — disse o visconde —, mas por que está rindo, posso perguntar?

— Estou rindo porque entendi o que anda enlouquecendo os meus conterrâneos.

— O quê?

— Que o senhor é um pouco bom e um pouco mau. Agora tudo é natural.

— E por quê?

— Porque me dei conta de que o senhor é a outra metade. O visconde que mora no castelo, o mau, é uma das metades. E o senhor é a outra metade, que se acreditava perdida na guerra e agora regressou. E é uma metade boa.

— Gentileza sua. Obrigado.

— Oh, é isso mesmo, não é para elogiá-lo.

Assim, eis a história de Medardo, conforme Pamela a escutou naquela noite. Não era verdade que a bala de canhão tinha esmigalhado parte de seu corpo: ele fora dividido em duas metades; uma foi encontrada pelos catadores de feridos do exército; a outra ficou enterrada sob uma pirâmide de restos cristãos e turcos e não foi vista. No coração da noite, passaram pelo campo dois eremitas, não se sabe bem se fiéis à religião justa ou nigromantes, os quais, como acontece com alguns nas guerras, acabaram vivendo nas terras desertas entre os dois campos e talvez, agora se comenta, tentassem abraçar juntas a Trindade cristã e o Alá de Maomé. Em sua piedade bizarra, os eremitas, tendo encontrado o corpo dividido de Medardo, levaram-no para sua espelunca e ali, com bálsamos e unguentos por eles preparados, tinham-no medicado e salvado. Assim que recuperou as forças, o ferido despedira-se dos salvadores e, andando com sua muleta, percorrera durante meses e anos as nações cristãs para voltar ao seu castelo, maravilhando as pessoas ao longo do caminho com seus atos de bondade.

Depois de ter contado sua história a Pamela, o meio-visconde bom quis que a pequena pastora contasse a sua. E Pamela explicou como o Medardo mau a perseguia e como havia fugido de casa e vagava pelos bosques.

Diante do relato de Pamela, o Medardo bom se comoveu e dividiu a sua piedade entre a virtude perseguida da pastora, a tristeza sem conforto do Medardo mau, e a solidão dos pobres pais da moça.

— Aquela dupla! — disse Pamela. — Meus pais são dois velhos tratantes. Não vale a pena compadecer-se deles.

— Oh, pense neles, Pamela, como devem estar tristes neste momento em sua velha casa, sem ninguém que se ocupe deles e faça os trabalhos dos campos e da estrebaria.

— Queria que a estrebaria desabasse na cabeça deles! — disse Pamela. — Começo a ver que o senhor é manso demais e em vez de discutir com sua metade por tudo o que ela apronta de errado, até parece que sente pena também dele.

— E como não sentir? Eu, que sei o que significa ser metade de um homem, não posso deixar de sofrer por ele.

— Mas o senhor é diferente; meio maluco o senhor também, mas bom.

Então o bom Medardo disse:

— Ó Pamela, isso é o bom de ser partido ao meio: entender de cada pessoa e coisa no mundo a tristeza que cada um e cada uma sente pela própria incompletude. Eu era inteiro e não entendia, e me movia surdo e incomunicável entre as dores e feridas disseminadas por todos os lados, lá onde, inteiro, alguém ousa acreditar menos. Não só eu, Pamela, sou um ser dividido e desarraigado, mas você também, e todos. Mas, agora, tenho uma fraternidade que antes, inteiro, não conhecia: aquela com todas as mutilações e as faltas do mundo. Se vier comigo, Pamela, vai aprender a sofrer com os males de cada um e a tratar dos seus tratando dos deles.

— Isso é muito bonito — disse Pamela —, mas já estou numa bela trapalhada, com seu outro pedaço, que se apaixonou por mim e não se sabe o que pretende fazer comigo.

Meu tio deixou cair o manto porque o temporal havia passado.

— Também eu estou apaixonado por você, Pamela.

Pamela pulou fora da gruta:

— Que alegria! Lá está o arco-íris e encontrei um novo namorado. Partido ao meio também este, mas pelo menos de bom coração.

Andavam sob ramos que ainda gotejavam em caminhos cheios de lama. A meia-boca do visconde se arqueava num sorriso doce, incompleto.

— E então, o que fazemos? — disse Pamela.

— Acho melhor ir para junto de seus pais, coitados, ajudá-los um pouco nos trabalhos.

— Se tem vontade, vai você — disse Pamela.

— Sim, tenho vontade, querida — respondeu o visconde.

— Fico por aqui — disse Pamela, e parou com a pata e a cabra.

— Fazer boas ações juntos é a única maneira de nos amarmos.

— Pena. Pensei que houvesse outras maneiras.

— Adeus, querida. Vou trazer torta de maçã para você. — E afastou-se pelo caminho com toques de muleta.

— Que me diz, cabra? Que me diz, patinha? — fez Pamela, sozinha com seus animais. — Só gente desse tipo havia de aparecer para mim?

8

A PARTIR DO MOMENTO em que todos souberam que a outra metade do visconde tinha voltado, tão boa quanto a primeira era má, a vida em Terralba ficou muito diferente.

De manhã, eu acompanhava o dr. Trelawney em sua ronda de visitas aos doentes; porque o doutor recomeçara pouco a pouco a praticar a medicina e se dera conta de quantos males sofria a nossa gente, cuja fibra as longas carestias dos tempos idos tinham minado, males que nunca haviam sido tratados antes.

Andávamos pelos campos e víamos os sinais de que meu tio nos tinha precedido. Meu tio, o bom, quero dizer, que todas as manhãs percorria também o circuito não só dos doentes, mas igualmente dos pobres, dos velhos, de todos os que precisassem de socorro.

No pomar de Bacciccia, o pé de romã tinha os frutos maduros embrulhados num pano. Entendemos que Bacciccia estava com dor de dente. Meu tio havia amarrado as romãs para que não se abrissem e soltassem os grãos agora que o mal impedia o proprietário de sair para colhê-las; mas também como sinal para o dr. Trelawney, para que passasse a visitar o doente e levasse o boticão.

O prior Cecco tinha um girassol no terraço, tão fraco que nem florescia mais. Naquela manhã encontramos três galinhas amarradas ali, na sacada, comendo a todo o vapor e descarregando esterco branco no vaso de girassol. Entendemos que o prior devia estar com diarreia. Meu tio havia amarrado as galinhas para nutrir o girassol, mas também para avisar o dr. Trelawney daquele caso urgente.

Na escadaria da velha Giromina vimos uma fileira de escargots que subiam pela porta: daqueles bons para comer cozidos. Era um presente que meu tio trouxera do bosque para Giromina, mas também um sinal de que a doença do coração da pobre velha havia piorado e que o doutor devia entrar devagar para não assustá-la.

Todos esses sinais de comunicação eram usados pelo bom Medardo para não alarmar os doentes com um pedido muito brusco dos cuidados do doutor, mas também para que Trelawney tivesse logo uma ideia do que se tratava, e assim vencesse a sua timidez de entrar nas casas alheias e se aproximar dos doentes cujos males ignorava.

De repente, pelo vale corria o alarme:

— O Mesquinho! Está vindo o Mesquinho!

Era a metade mesquinha de meu tio que fora vista cavalgando nas paragens. Então todos corriam para esconder-se, e antes dos outros o dr. Trelawney, e eu atrás.

Passávamos diante da casa de Giromina e na escadaria havia uma trilha de escargots esmagados, feita de baba e lascas de conchas.

— Já passou por aqui! Vamos embora!

No terraço do prior Cecco, as galinhas estavam amarradas na cerca onde secavam os tomates e bicavam toda aquela maravilha.

— Vamos embora!

No pomar de Bacciccia, as romãs estavam todas arrebentadas no chão e dos ramos pendiam as pontas dos panos vazios.

— Vamos embora!

Assim, entre caridade e terror decorriam as nossas vidas. O Bom (como era chamada a metade esquerda de meu tio, em contraposição ao Mesquinho, que era a outra) era então tido como santo. Os aleijados, os pobres, as mulheres traídas, todos os que tinham um pesar, corriam até ele. Poderia ter se aproveitado e se tornado ele o visconde. Ao contrário, continuava como vagabundo, circulando meio enrolado em seu manto negro, apoiado na muleta, com a meia branca e azul cheia de remendos, fazendo o bem tanto a quem lhe pedia quanto a quem o expulsava com maus modos. E não havia ovelha que quebrasse a perna num mata-burro, nem bebedor que levasse faca para a taberna, nem esposa adúltera que corresse noite alta atrás do amante, que não o vissem aparecer por ali como caído do céu, negro e seco e com o sorriso doce, para socorrer, para dar bons conselhos, para prevenir violências e pecados.

Pamela continuava no bosque. Construíra um balanço entre dois pinheiros, depois um mais sólido para a cabra e outro mais leve para a pata e passava as horas balançando junto com seus animais. Mas a uma certa hora, correndo entre os pinheiros, chegava o Bom, com um pacote amarrado nas costas. Eram roupas para lavar e remendar que ele recolhia entre os mendigos, os órfãos e os doentes sozinhos no mundo; e entregava tudo a Pamela, permitindo que também ela fizesse o bem. Pamela, que se aborrecia de ficar sempre no bosque, lavava a roupa no riacho e ele a ajudava. Depois ela estendia tudo para secar nas cordas dos balanços e o Bom, sentado numa pedra, lia *Jerusalém libertada* em voz alta.

Pamela não ligava nem um pouco para a leitura e ficava deitada de bruços na grama, catando piolhos (pois vivendo no bosque pegara uma boa quantidade de bichinhos), coçando-se com uma planta chamada picão, bocejando, chutando pedras pelos ares com os pés descalços e protegendo as pernas, que eram rosadas e rechonchudas na medida justa. O Bom, sem erguer os olhos do livro, continuava a recitar uma oitava depois da outra, com a intenção de enobrecer os costumes da moça tão rústica.

Mas ela, que não acompanhava o fio da história e se aborrecia, quieta quieta incitou a cabra a lamber a meia-cara do

Bom e a pata a deitar-se em cima do livro. O Bom deu um pulo para trás e levantou o livro, que se fechou; e justamente naquele instante o Mesquinho saiu a galope de trás das árvores, brandindo uma foice dirigida contra o Bom. A lâmina da foice encontrou o livro e o talhou de comprido em duas metades. A parte da costura ficou na mão do Bom e a parte do corte se espalhou em mil meias páginas pelos ares. O Mesquinho desapareceu a galope; sem dúvida tentara decepar a meia-cabeça do Bom, mas os dois animais haviam aparecido na hora certa. As páginas de Tasso com as margens brancas e os versos cortados ao meio voaram ao vento e pousaram nos ramos dos pinheiros, nas plantas e na água das torrentes. Da beira de um morro, Pamela observava aquele esvoaçar branco e dizia:

— Que lindo!

Algumas meias-folhas chegaram até a estradinha por onde passávamos o dr. Trelawney e eu. O doutor pegou uma no ar, virou-a e revirou-a, tentou decifrar aqueles versos sem nexo e sacudiu a cabeça:

— Não dá para entender nada... Sst... sst...

A fama do Bom chegara também aos huguenotes, e o velho Ezequiel várias vezes fora visto parado no patamar mais alto da vinha amarela, observando o pedregoso caminho de mulas que subia do vale.

— Pai — disse-lhe um dos filhos —, vejo-o olhar para o vale como se esperasse a chegada de alguém.

— Esperar é próprio do homem — respondeu Ezequiel —, e do homem justo, esperar com confiança; do injusto, com medo.

— É o Capenga-da-Outra-Perna que está esperando, pai?

— Ouviu falar dele?

— No vale, só se fala do Manco-Canhoto. Acha que virá até aqui?

— Se nossa terra é de gente que vive no bem, e ele vive no bem, não há razão para que não venha.

— O caminho das mulas é íngreme para quem tiver de subi-lo com uma muleta.

— Já houve um Ímpio que encontrou um cavalo para subir até nós.

Ouvindo Ezequiel falar, os outros huguenotes se reuniram ao redor dele, saindo de trás das videiras. E ao escutar a referência ao visconde, estremeceram em silêncio.

— Pai nosso, Ezequiel — disseram —, quando veio o Magro, naquela noite, e o raio incendiou meio carvalho, o senhor disse que um dia seríamos visitados por um viajante melhor.

Ezequiel assentiu abaixando a barba até o peito.

— Pai, este de quem agora se falava é um aleijado igual e oposto ao outro, tanto no corpo quanto na alma: piedoso como o outro era cruel. Será o visitante previamente anunciado por suas palavras?

— Cada viajante de qualquer estrada pode sê-lo — disse Ezequiel —, portanto, também ele.

— Então todos esperamos que o seja — disseram os huguenotes.

A mulher de Ezequiel vinha à frente com o olhar fixo diante de si, empurrando um carrinho de mão com ramos secos de videira.

— Esperamos sempre alguma coisa boa — disse —, porém, mesmo que aqueles que mancam por estas nossas colinas sejam apenas pobres mutilados de guerra, de bom ou mau coração, todos os dias temos de continuar a agir segundo a justiça e a cultivar nossos campos.

— Isso já sabemos — responderam os huguenotes —, dissemos algo que signifique o contrário?

— Bem, se estamos todos de acordo — disse a mulher —, podemos todos voltar à enxada e aos forcados.

— Peste e carestia! — explodiu Ezequiel. — Quem lhes disse para interromper o trabalho?

Os huguenotes se espalharam entre as vinhas para pegar os instrumentos abandonados nos sulcos, mas naquele momento Esaú, que ao ver seu pai distraído subira na figueira para comer as primícias, gritou:

— Lá na subida! Quem está chegando montado numa mula?

De fato, uma mula vinha subindo com um meio-homem amarrado na albarda. Era o Bom, que tinha comprado aquela velha mula esfolada quando estavam a ponto de afogá-la no rio, pois se achava tão estropiada que nem valia a pena mandá-la para o matadouro.

"Peso a metade de um homem, se tanto", disse consigo mesmo, "e a mula velha ainda pode me aguentar. E tendo também eu minha montaria, posso ir mais longe e fazer o bem." Assim, como primeira viagem, vinha visitar os huguenotes.

Os huguenotes o receberam perfilados e imóveis, cantando um salmo. Depois o velho aproximou-se e o cumprimentou como um irmão. O Bom, tendo apeado da mula, respondeu de maneira cerimoniosa aos cumprimentos, beijou a mão da mulher de Ezequiel, que permaneceu dura e carrancuda, perguntou pela saúde de todos, estendeu a mão para acariciar a cabeça hirsuta de Esaú, que retrocedeu, interessou-se pelos problemas de cada um, pediu que contassem a história das perseguições deles, comovendo-se e criticando. Naturalmente, falaram disso sem insistir sobre a controvérsia religiosa, como se fosse uma sequela de desgraças imputáveis à maldade humana em geral. Medardo passou por cima do fato de que as perseguições vinham da parte da Igreja à qual ele pertencia, e os huguenotes por seu lado não embarcaram em afirmações de fé, também por temor de dizer coisas teologicamente erradas. Assim terminaram em vagos discursos caridosos, desaprovando qualquer violência e qualquer excesso. Todos de acordo, mas no conjunto foi tudo meio frio.

Depois o Bom visitou o campo, lamentou as magras colheitas e ficou contente de saber que pelo menos tinham tido uma boa seara de centeio.

— Por quanto estão vendendo? — perguntou-lhes.

— Três escudos a libra — disse Ezequiel.

— Três escudos a libra? Mas os pobres de Terralba estão morrendo de fome, amigos, e não podem nem comprar um punhado de centeio. Talvez vocês não saibam que o granizo destruiu as colheitas de centeio, no vale, e vocês são os únicos que podem retirar tantas famílias da fome.

— Sabemos sim — disse Ezequiel —, justamente por isso podemos vender bem...

— Mas pensem na caridade que seria para aqueles pobres coitados, se vocês reduzissem o preço do centeio... Pensem no bem que poderiam fazer...

O velho Ezequiel parou diante do Bom com os braços cruzados e todos os huguenotes o imitaram.

— Fazer caridade, irmão — disse —, não significa perder nos preços.

O Bom andava pelos campos e via velhos huguenotes esqueléticos arando a terra sob o sol.

— Está com mau aspecto — disse a um velho com a barba tão comprida que ele lhe jogava terra em cima —, talvez não esteja se sentindo bem.

— Como pode se sentir bem uma pessoa que trabalha durante dez horas aos setenta anos com uma sopa de nabos na barriga?

— É meu primo Adamo — disse Ezequiel —, um trabalhador excepcional.

— Mas o senhor deve descansar e alimentar-se, velho como é! — estava dizendo o Bom, mas Ezequiel o arrastou bruscamente.

— Aqui todos ganhamos o pão muito duramente, irmão — disse em tom que não admitia réplica.

Antes, mal desmontara da mula, o Bom queria amarrar ele mesmo o animal, e havia pedido um saco de forragem para que este se recuperasse da subida. Ezequiel e sua mulher tinham se olhado, pois segundo eles para uma mula daquelas bastava um punhado de chicória selvagem; mas estavam na hora mais calorosa da acolhida ao hóspede e tinham mandado servir a forragem. Agora, porém, repensando no caso, o velho Ezequiel não podia admitir que aquela carcaça de mula comesse a pouca forragem que tinham, e sem se fazer ouvir pelo hóspede, chamou Esaú e lhe disse:

— Esaú, vá de mansinho até a mula, tire a forragem dela e sirva-lhe qualquer outra coisa.

— Um cozido para a asma?

— Sabugos de milho, cascas de grão-de-bico, o que quiser.

Esaú foi, retirou o saco da mula e levou um coice que o fez caminhar manco por algum tempo. Para vingar-se, escondeu a forragem restante para vendê-la por sua conta, e disse que a mula já tinha comido tudo.

Hora do pôr do sol. O Bom estava com os huguenotes em meio aos campos e não sabiam mais o que conversar.

— Visitante, ainda temos uma boa hora de trabalho pela frente — disse a mulher de Ezequiel.

— Então me despeço.

— Boa sorte, visitante.

E o bom Medardo foi embora em sua mula.

— Um pobre mutilado de guerra — disse a mulher depois que ele saiu. — Quantos existem nesta região, coitados!

— Coitados, de verdade — concordaram todos os familiares.

— Peste e carestia! — berrava o velho Ezequiel rodando pelos campos, de punhos erguidos diante dos trabalhos malfeitos e dos estragos da seca. — Peste e carestia!

9

FREQUENTEMENTE, eu ia de manhã à oficina de Pedroprego para ver as máquinas que o engenhoso mestre andava construindo. O carpinteiro vivia com angústias e remorsos cada vez maiores, desde que o Bom viera visitá-lo de noite e recriminara o triste fim de suas invenções, e o havia instigado a construir mecanismos movidos pela bondade e não pela sede de sevícias.

— Então que máquina devo construir, mestre Medardo? — perguntava Pedroprego.

— Já lhe explico: poderia, por exemplo... — E o Bom começava a descrever-lhe a máquina que teria encomendado se fosse visconde no lugar da outra metade, e enriquecia a explicação traçando desenhos confusos.

A princípio, pareceu a Pedroprego que essa máquina devia ser um órgão, um gigantesco órgão cujas teclas tocassem músicas dulcíssimas, e já se dispunha a procurar a madeira adequada para os tubos, quando de uma outra conversa com o Bom voltou com as ideias mais confusas, pois parecia que ele queria passar farinha em vez de ar pelos tubos. Em resumo, devia ser um órgão mas também um moinho, que moesse para os pobres, e também, se possível, um forno para fazer fogaças. A cada dia, o Bom aperfeiçoava sua ideia e enchia de desenhos papéis e mais papéis, mas Pedroprego não lograva acompanhá-lo: porque o tal órgão-moinho-forno devia poder puxar água dos poços economizando cansaço aos burros, e deslocar-se sobre rodas para atender às diversas aldeias, e também nos dias de festas levantar voo e pegar, com redes em todas as direções, borboletas.

E o carpinteiro era assaltado pela dúvida sobre se construir máquinas boas não estaria além das possibilidades humanas, ao passo que as únicas que de fato podiam funcionar com eficácia e exatidão seriam os patíbulos e as torturas. Com efeito, assim que o Mesquinho expunha a Pedroprego a ideia de um novo mecanismo, logo vinha à mente do mestre o modo para realizá-lo e se punha a trabalhar, e cada detalhe lhe parecia insubstituível e perfeito, e o instrumento acabado uma obra-prima de técnica e engenho.

O mestre se angustiava:

— Quem sabe esteja em minha alma esta maldade que só me deixa produzir máquinas cruéis? — Entretanto, continuava a inventar, com zelo e habilidade, novos tormentos.

Certo dia, vi que trabalhava num estranho patíbulo, no qual uma forca branca emoldurava uma parede de madeira negra, e a corda, também branca, deslizava por dois buracos na parede, justamente no ponto do laço corrediço.

— Que máquina é esta, mestre? — perguntei-lhe.

— Uma forca para enforcar de perfil — disse.

— E para quem a construiu?

— Para um homem que só condena e é condenado. Com meia cabeça condena a si mesmo à pena capital e com a outra metade entra no nó corrediço e exala o último suspiro. Gostaria que as duas se confundissem.

Compreendi que o Mesquinho, sentindo crescer a popularidade da metade boa de si mesmo, decidira acabar com ela o mais breve possível.

De fato, chamou os esbirros e disse:

— Um vagabundo ordinário há muito tempo infesta nosso território semeando a cizânia. Até amanhã, capturem o agitador e tragam-no para morrer.

— Assim será, senhor — disseram os esbirros, e foram embora. Zarolho como era, o Mesquinho não percebeu que ao responder haviam piscado o olho uns para os outros.

É preciso saber que uma conspiração palaciana fora tramada naqueles dias e dela faziam parte inclusive os esbirros. Tratava-se de aprisionar e suprimir o atual meio-visconde e entregar o castelo e o título à outra metade. Esta, porém, de nada sabia. E à noite, no paiol onde morava, acordou cercado pelos esbirros.

— Não tenha medo — disse o chefe dos esbirros —, o visconde nos ordenou que o matássemos, mas nós, cansados de sua cruel tirania, decidimos acabar com ele e pôr o senhor no lugar dele.

— O que estou ouvindo? E já o fizeram? Digo: o visconde, já o trucidaram?

— Não, mas vamos fazê-lo sem dúvida ainda esta manhã.

— Ah, graças aos céus! Não, não se manchem com mais sangue, pois muito já correu. Que bem poderia advir de um senhorio que nasce do crime?

— Não há problema: nós o trancamos na torre e podemos ficar tranquilos.

— Não levantem a mão contra ele nem contra ninguém, aviso a vocês! Também a mim faz mal a prepotência do visconde: mas não existe outro remédio exceto dar-lhe bons exemplos, mostrando-nos gentis e virtuosos a ele.

— Então devemos matar o senhor.

— Nada disso! Já lhes disse que não devem matar ninguém.

— Então, o que faremos? Se não acabamos com o visconde, temos de obedecer a ele.

— Peguem esta ampola. Contém alguns gramas, os últimos que me restam, do unguento com o qual os eremitas me trataram e que até hoje foi preciso para mim quando, com as mudanças do tempo, me dói a cicatriz desmesurada. Levem-na ao visconde e só lhe digam isto: é o presente de alguém que sabe o que significa ter as veias que terminam numa tampa.

Os esbirros foram até o visconde com a ampola e ele os condenou ao patíbulo. Para salvar os esbirros, os outros conjurados decidiram sublevar-se. Desajeitados, revelaram a trama da revolta, que foi sufocada em sangue. O Bom levou flores aos túmulos e consolou viúvas e órfãos.

Quem jamais se deixou comover com a bondade do Bom foi a velha Sebastiana. Em meio às suas empresas zelosas, o Bom se detinha com frequência na cabana da ama e a visitava, sempre gentil e pressuroso. E todas as vezes ela se punha a fazer-lhe um sermão. Talvez por causa de seu amor materno não diferenciado, talvez porque a velhice começasse a ofuscar-lhe os pensamentos, a ama não ligava muito para a separação de Medardo em duas metades: brigava com uma das metades pelos erros da outra, dava a uma conselhos que só poderiam ser seguidos pela outra, e assim por diante.

— E por que cortou a cabeça do galo da avó Bigin, coitadinha, que só tinha aquele? Grande como é, apronta cada uma...

— Mas por que está me dizendo isso? Sabe que não fui eu...

— Essa é boa! Então vamos escutar: quem foi?

— Eu. Mas...

— Ah! Está vendo?

— Mas não eu que...

— Eh, por estar velha pensa que fiquei também caduca? Quando ouço contar alguma malandragem logo percebo que é uma das suas. E digo comigo mesma: seria capaz de jurar que aí tem o dedo de Medardo...

— Mas sempre se engana...!

— Enganar-me, eu?... Vocês, jovens, dizem a nós, velhos, que nos enganamos... E vocês? Você deu de presente sua muleta ao velho Isidoro...

— Sim, nesse caso fui eu...

— E ainda conta vantagem? Servia-lhe para dar pancadas na mulher, coitada...

— Ele me disse que não conseguia andar por causa da gota...

— Fingia... E você correndo lhe oferece a muleta... Acaba de quebrá-la nas costas da mulher e você anda se apoiando numa forquilha... Cabeça oca, não passa disso! E sempre foi assim! E quando você embebedou o touro de Bernardo com aguardente?

— Esse não era eu...

— Como não? Se todos dizem: é sempre ele, o visconde!

As visitas frequentes do Bom a Prado do Cogumelo eram motivadas, além de sua dedicação filial à Sebastiana, pelo fato de que naquele período ele se dedicava a socorrer os pobres leprosos. Imunizado contra o contágio (sempre, parece, pelos tratamentos misteriosos dos eremitas), rodava pela aldeia informando-se minuciosamente sobre as necessidades de cada um, e não lhes dando trégua enquanto não se desdobrasse por eles de todas as maneiras. Muitas vezes, no dorso de sua mula, servia de mensageiro entre Prado do Cogumelo e a casinhola do dr. Trelawney, pedindo conselhos e remédios. Não que o doutor agora tivesse coragem para aproximar-se dos leprosos, mas parece que começava, com o bom Medardo como intermediário, a interessar-se por eles.

Porém, as intenções de meu tio iam mais longe: não se propusera apenas a curar os corpos dos leprosos, mas também suas almas. E andava sempre entre eles pregando moral, metendo o nariz nos negócios deles, escandalizando-se e fazendo sermões. Os leprosos não o suportavam. Os tempos beatos e licenciosos de Prado do Cogumelo tinham acabado. Com aquela exígua figura rígida numa perna só, vestida de negro, cerimoniosa e distribuindo regras, ninguém podia fazer o que lhe apetecia sem ser recriminado em praça pública, suscitando malignidade e despeito. Até a música, à força de ouvi-la ser recriminada como fútil, lasciva e não inspirada em bons sentimentos, acabou provocando aversão, e os estranhos instrumentos deles se cobriram de pó. As mulheres leprosas, sem o desafogo das farras, viram-se de repente sozinhas diante da doença, e passavam as noites chorando e se desesperando.

— Das duas metades a boa é pior que a mesquinha — começavam a comentar em Prado do Cogumelo.

Mas não era somente entre os leprosos que a admiração pelo Bom começava a diluir-se.

— Ainda bem que a bala do canhão só o dividiu em dois — diziam todos —, se o cortasse em três quem sabe o que nos tocaria ver pela frente.

Os huguenotes agora faziam turnos para se proteger também dele, que já perdera todo o respeito por eles e vinha a qualquer hora espiar quantos sacos havia nos celeiros e fazer pregações contra os preços demasiado altos e depois ia comentar por toda parte, estragando os negócios.

Assim passavam os dias em Terralba, e os nossos sentimentos se tornavam incolores e obtusos, pois nos sentíamos como perdidos entre maldades e virtudes igualmente desumanas.

10

NÃO HÁ NOITE DE LUA em que nos espíritos selvagens as ideias perversas não se enrosquem como ninhos de serpentes e em que os espíritos caridosos não se abram em lírios de renúncia e dedicação. Assim, entre os precipícios de Terralba, as duas metades de Medardo vagavam atormentadas por ímpetos opostos.

Tendo cada um tomado a própria decisão, de manhã se puseram a executá-las.

A mãe de Pamela, indo buscar água, caiu numa armadilha e foi parar dentro do poço. Pendurada por uma corda, berrava: "Socorro!" quando viu na boca do poço, contra o céu, o perfil do Mesquinho, que lhe disse:

— Só queria falar com a senhora. Eis o que pensei: junto com sua filha Pamela se vê com frequência um vagabundo partido ao meio. Deve obrigá-lo a casar-se com ela: agora já a comprometeu e se é um fidalgo deve remediar. Assim pensei; não me peça para lhe explicar mais nada.

O pai de Pamela levava ao lagar de azeite um saco de azeitonas de sua oliveira, mas o saco tinha um furo, e uma esteira de azeitonas o seguia pelo caminho. Sentindo a carga leve, o pai tirou o saco das costas e percebeu que estava quase vazio. Mas viu que atrás chegava o Bom: recolhia as azeitonas uma a uma e as punha no manto.

— Seguia-o para conversar e tive a sorte de salvar-lhe as azeitonas. Eis o que me vai pelo coração. Há tempos penso que a infelicidade alheia que pretendo socorrer talvez seja alimentada pela minha presença. Vou embora de Terralba. Mas só se minha partida der paz a duas pessoas: a sua filha, que dorme numa gruta enquanto lhe toca um nobre destino, e a minha infeliz parte direita, que não deve permanecer tão sozinha. Pamela e o visconde devem unir-se pelo matrimônio.

Pamela estava domesticando um esquilo quando encontrou sua mãe, que fingia procurar pinhas.

— Pamela — disse a mãe —, chegou a hora daquele vagabundo conhecido como o Bom se casar com você.

— De onde vem essa ideia? — disse Pamela.

— Ele a comprometeu, com ele você há de casar. É tão gentil que se lhe falar assim não se negará a fazê-lo.

— Mas como pôs essa ideia na cabeça?

— Quieta; se soubesse quem me disse isso não faria tantas perguntas: o Mesquinho em pessoa falou comigo, o nosso ilustríssimo visconde!

— Desgraça! — disse Pamela, deixando cair o esquilo do colo —, quem sabe qual armadilha quer preparar.

Dali a pouco, estava aprendendo a assobiar com uma folha de capim entre as mãos quando encontrou o pai, que fingia procurar lenha.

— Pamela — disse o pai —, é hora de dizer sim ao visconde Mesquinho, com a condição de que se casem na igreja.

— É ideia sua ou alguém lhe disse isso?

— Não lhe agrada tornar-se viscondessa?

— Responda ao que lhe perguntei.

— Bem; imagine que foi dito pela alma mais bem-intencionada que existe: o vagabundo a quem chamamos de o Bom.

— Ah, aquele ali não tem mais o que fazer! Vão ver o que vou aprontar!

Andando em seu cavalo magro pelo matagal, o Mesquinho refletia sobre seu estratagema: se Pamela se casava com o Bom, perante a lei era esposa de Medardo di Terralba, ou seja, era sua mulher. Fortalecido com este direito, o Mesquinho poderia facilmente tomá-la do rival, tão condescendente e pouco combativo.

Mas se encontra com Pamela, que lhe diz:

— Visconde, decidi que, se quiser, nos casamos.

— Você e quem? — indaga o visconde.

— Eu e o senhor, e vou para o castelo e serei a viscondessa.

O Mesquinho não esperava por essa, e pensou: "Agora é inútil montar toda a comédia de fazê-la casar-se com minha outra metade: caso com ela e está tudo resolvido".

Assim, disse:

— Tudo bem.

E Pamela:

— Acerte os detalhes com meu pai.

Pouco depois, Pamela encontrou o Bom montado na mula.

— Medardo — disse ela —, entendi que estou apaixonada por você e se quiser me fazer feliz deve pedir a minha mão em casamento.

O coitado, que pelo bem dela aceitara aquela grande renúncia, ficou boquiaberto. "Mas se está feliz de casar comigo, não posso mais fazê-la casar-se com o outro", pensou, e disse:

— Querida, vou correndo preparar tudo para a cerimônia.

— Acerte os detalhes com minha mãe, não se esqueça — disse ela.

Terralba inteira ficou em sobressalto, quando se soube que Pamela ia casar. Alguns diziam que se casava com um, os demais diziam que se casava com o outro. Parece que os pais dela faziam de propósito para confundir as ideias. O que era certo é que no castelo estavam lustrando e enfeitando tudo como para uma grande festa. E o visconde mandara fazer uma roupa de veludo negro com a manga e a perna bem bufantes. Mas também o vagabundo mandara escovar a pobre mula e remendar o cotovelo e o joelho. Enfim, na igreja, poliram todos os candelabros.

Pamela declarou que só deixaria o bosque na hora do cortejo nupcial. Eu cuidava das encomendas para o enxoval. Ela fez um vestido branco com véu e a cauda muito comprida, e cinto e grinalda com espigas de lavanda. Como ainda estavam sobrando alguns metros de véu, fez uma roupa de noiva para a cabra e outra para a pata, e correu para o bosque, seguida pelos animais, até que o véu se rasgasse todo entre os ramos e a cauda juntasse todas as agulhas de pinheiro e as cascas de castanha que secavam pelos caminhos.

Mas na noite anterior ao matrimônio estava pensativa e um pouco amedrontada. Sentada numa pequena colina sem árvores, com a cauda enrolada nos pés, a grinalda de lavanda enviesada, apoiava o queixo numa das mãos e olhava os bosques ao redor suspirando.

Eu estava sempre com ela, pois devia servir de pajem, junto com Esaú, que, todavia, não dava as caras.

— Com quem vai casar, Pamela? — perguntei-lhe.

— Não sei — disse ela —, não sei nem mesmo o que vai acontecer. Vai dar certo ou vai dar tudo errado?

Dos bosques agora se erguia, ora uma espécie de grito gutural, ora um suspiro. Eram os dois pretendentes partidos ao meio que, tomados pela excitação da véspera, erravam pelas quebradas e precipícios do bosque, envoltos nos mantos negros, um no magro cavalo e o outro na mula meio esfolada, e mugiam e suspiravam ambos tomados por suas fantasias ansiosas. E o cavalo saltava por barrancos e quebradas, a mula trepava por encostas e aclives, sem que nunca os dois cavaleiros se encontrassem.

Até que, ao amanhecer, o cavalo esporeado num galope rolou por um despenhadeiro; e o Mesquinho não pôde chegar a tempo para as núpcias. Ao contrário, a mula ia devagar e sempre, e o Bom chegou pontualmente à igreja, justo quando entrava a noiva com a cauda carregada por mim e por Esaú, que vinha se arrastando.

Ao ver chegar como noivo só o Bom, que se apoiava em sua muleta, a multidão ficou um tanto decepcionada. Mas o matrimônio foi regularmente celebrado, os noivos disseram sim e trocaram alianças, e o padre disse:

— Medardo di Terralba e Pamela Marcolfi, eu uno vocês pelos laços do matrimônio.

Nesse instante, do fundo da nave, apoiando-se à muleta, entrou o visconde, com a roupa nova de veludo, toda bufante, encharcado e rasgado. E disse:

— Medardo di Terralba sou eu e Pamela é minha mulher.

O Bom saltou na frente dele.

— Não, o Medardo que se casou com Pamela fui eu.

O Mesquinho jogou a muleta fora e pôs a mão na espada. Ao Bom só restava fazer o mesmo.

— Em guarda!

O Mesquinho lançou-se num ataque cerrado, o Bom fechou-se na defesa, mas ambos já estavam rolando pelo chão.

Convieram que era impossível duelar equilibrando-se numa perna só. Era preciso adiar o duelo para poder prepará-lo melhor.

— E sabem o que vou fazer? — disse Pamela —, volto para o bosque.

E saiu correndo da igreja, sem pajens que lhe segurassem a cauda. Na ponte encontrou a cabra e a pata, que a esperavam e se juntaram a ela trotando.

O duelo foi marcado para o amanhecer no Prado das Freiras. Mestre Pedroprego inventou uma espécie de perna de compasso que, fixa na cintura dos partidos ao meio, lhes permitia permanecer retos e deslocar-se e até inclinar o corpo para a frente e para trás, mantendo a ponta fixa no chão para se firmarem. O leproso Galateo que, antes da doença, fora um gentil-homem, funcionou como juiz de armas; os padrinhos do Mesquinho foram o pai de Pamela e o chefe dos esbirros; os padrinhos do Bom foram dois huguenotes. O dr. Trelawney garantiu a assistência, e veio com um fardo de gaze e um garrafão de bálsamo, como se tivesse de tratar de um batalhão. Sorte minha que, tendo de ajudá-lo a carregar aquilo tudo, pude assistir à disputa.

O amanhecer tendia para o verde; no prado, os dois magros antagonistas negros estavam firmes com a espada em riste. O leproso soprou o chifre: era o sinal; o céu vibrou feito uma membrana repuxada, os esquilos nas tocas afundaram as garras no húmus, as pegas sem tirar a cabeça de sob as asas arrancaram uma pena da axila provocando dores, e a boca da minhoca mordeu o próprio rabo, e a víbora se picou com seus colmilhos, e a vespa rompeu o ferrão na pedra, e cada coisa se voltava contra si mesma, a geada das poças se congelava, os líquens se petrificavam e as pedras viravam líquen, a folha seca se fazia terra, e a goma espessa e dura matava as árvores sem piedade. Assim, o homem se arrojava contra si mesmo, com ambas as mãos armadas de uma espada.

Uma vez mais Pedroprego fizera obra de mestre: os compassos desenhavam círculos no prado e os esgrimistas lançavam-se em ataques enfurecidos e lenhosos, em paradas e em fintas. Mas não se tocavam. Em cada investida de fundo, a ponta da espada parecia dirigir-se rumo ao manto esvoaçante do adversário, cada um parecia obstinado em atacar o outro na parte em que não havia nada, isto é, na parte onde ele próprio deveria estar. Certamente, se no lugar de meios-duelistas fossem duelistas inteiros, teriam se ferido sabem-se lá quantas vezes. O Mesquinho se batia com ferocidade raivosa, mas não conseguia nunca levar seus ataques onde de fato estava o seu inimigo; o Bom tinha a mestria correta dos canhotos, mas não fazia nada além de crivar o manto do visconde.

A certa altura, encontraram-se punho de espada com punho de espada: as pontas de compasso estavam enterradas no solo como escavadeiras. O Mesquinho libertou-se de repente e já estava perdendo o equilíbrio e rolando pelo chão, quando conseguiu dar uma estocada terrível, não exatamente no adversário, mas quase: uma estocada paralela à linha que interrompia o corpo do Bom, e tão próxima dela que não deu para entender logo se era mais para cá ou mais para lá. Mas logo vimos o corpo sob o manto avermelhar-se de sangue da cabeça até a junção da perna e não houve mais dúvidas. O Bom agachou-se, mas ao cair, num último movimento amplo e quase piedoso, abateu a espada também ele muitíssimo perto do rival, da cabeça ao abdômen, entre o ponto em que o corpo do Mesquinho não existia e o ponto em que começava a existir. Agora também o corpo do Mesquinho jorrava sangue pela enorme ruptura: as estocadas de um e do outro tinham rompido de novo todas as veias e reaberto as feridas que os tinham dividido, em suas duas fatias. Agora jaziam revirados, e os sangues que já tinham sido um só voltavam a misturar-se pelo prado.

Inteiramente tomado por essa visão horrenda, não havia prestado atenção em Trelawney, quando percebi que o doutor dava saltos de alegria com suas pernas de grilo, batendo palmas e gritando:

— Está salvo! Está salvo! Agora deixem comigo.

Depois de meia hora levamos de maca para o castelo um único ferido. O Mesquinho e o Bom estavam vendados estreitamente juntos; o doutor tivera o cuidado de combinar todas as vísceras e artérias de ambas as partes, e depois com um quilômetro de curativos os unira tão intimamente que parecia, mais que um ferido, um antigo morto embalsamado.

Meu tio foi velado dias e noites entre a vida e a morte. Certa manhã, observando aquele rosto que uma linha vermelha atravessava da testa até o queixo, continuando depois pescoço abaixo, foi a ama Sebastiana quem disse:

— Pronto: mexeu-se.

De fato, os traços do rosto de meu tio estavam sendo percorridos por um frêmito, e o doutor chorou de alegria ao ver que passava de uma bochecha para outra.

Por fim, Medardo abriu os olhos, os lábios; de início, tinha a expressão transtornada: um olho estava contraído e o outro suplicante, a testa enrugada e serena, um canto da boca sorria e o outro rangia os dentes. Pouco a pouco, foi ficando simétrico.

O dr. Trelawney disse:

— Agora está curado.

E Pamela exclamou:

— Finalmente terei um marido com todos os seus atributos.

Assim, meu tio Medardo voltou a ser um homem inteiro, nem mau nem bom, uma mistura de maldade e bondade, isto é, aparentemente igual ao que era antes de se partir ao meio. Mas tinha a experiência de uma e de outra metade refundidas, por isso devia ser bem sábio. Viveu feliz, teve muitos filhos e fez um bom governo. Nossa vida também mudou para melhor. Talvez se esperasse que, uma vez inteiro o visconde, se abrisse um período de felicidade maravilhosa; mas é claro que não basta um visconde completo para que o mundo inteiro se torne completo.

Entretanto, Pedroprego não construiu mais forcas e sim moinhos; e Trelawney abandonou os fogos-fátuos em favor dos sarampos e das erisipelas. Ao contrário, em meio a tantos fervores de integridade, eu me sentia cada vez mais triste e carente. Às vezes a gente se imagina incompleto e é apenas jovem.

Eu chegara ao limiar da adolescência e ainda me ocultava entre as raízes das grandes árvores do bosque para me contar histórias. Uma agulha de pinheiro podia representar para mim um cavaleiro ou uma dama ou um bufão; movimentava-a diante de meus olhos e me exaltava em relatos intermináveis. Depois ficava com vergonha dessas fantasias e fugia.

E chegou o dia em que também o dr. Trelawney me abandonou. Certa manhã, entrou em nosso golfo uma frota de navios empavesados, com bandeira inglesa, e lançou âncoras. Terralba inteira foi até a praia para vê-los, exceto eu, que de nada sabia. Os parapeitos das amuradas e as mastreações estavam lotados de marinheiros, que exibiam ananases e tartarugas e desenrolavam papéis onde estavam escritas sentenças latinas e inglesas. No convés, em meio aos oficiais de tricórnio e peruca, o capitão Cook observava a margem com o binóculo e assim que identificou o dr. Trelawney deu ordens para que lhe transmitissem com as bandeiras a mensagem: "Venha imediatamente a bordo, doutor, temos de continuar nossa partida de vinte e um".

O doutor despediu-se de todos em Terralba e nos deixou. Os marinheiros entoaram um hino: "Oh, Austrália!", e o doutor foi içado a bordo montado num barril de vinho *cancarone*. Então os navios levantaram âncoras.

Eu não tinha visto nada. Estava escondido no bosque contando histórias a mim mesmo. Soube do acontecido muito tarde e saí correndo em direção ao cais, gritando:

— Doutor! Doutor Trelawney! Leve-me com o senhor! Não pode me deixar aqui, doutor!

Mas os navios já estavam sumindo no horizonte e eu continuei aqui, neste nosso mundo cheio de responsabilidades e de fogos-fátuos.

ITALO CALVINO (1923-85) nasceu em Santiago de Las Vegas, Cuba, e foi para a Itália logo após o nascimento. Participou da resistência ao fascismo durante a guerra e foi membro do Partido Comunista até 1956. Publicou sua primeira obra, *A trilha dos ninhos de aranha*, em 1947.

OBRAS PUBLICADAS PELA COMPANHIA DAS LETRAS

Os amores difíceis
Assunto encerrado
O barão nas árvores
O caminho de San Giovanni
O castelo dos destinos cruzados
O cavaleiro inexistente
As cidades invisíveis
Coleção de areia
Contos fantásticos do século XIX (org.)
As cosmicômicas
O dia de um escrutinador
Eremita em Paris
A especulação imobiliária
Fábulas italianas
Um general na biblioteca

Marcovaldo ou As estações na cidade
Mundo escrito e mundo não escrito —
 artigos, conferências e entrevistas
Os nossos antepassados
Palomar
Perde quem fica zangado primeiro
Por que ler os clássicos
Se um viajante numa noite de inverno
Seis propostas para o próximo milênio —
 Lições americanas
Sob o sol-jaguar
Todas as cosmicômicas
A trilha dos ninhos de aranha
O visconde partido ao meio

COMPANHIA DE BOLSO

Jorge AMADO
Capitães da Areia
Mar morto
Carlos Drummond de ANDRADE
Sentimento do mundo
Hannah ARENDT
Homens em tempos sombrios
Origens do totalitarismo
Philippe ARIÈS, Roger CHARTIER (Orgs.)
História da vida privada 3 — Da Renascença ao Século das Luzes
Karen ARMSTRONG
Em nome de Deus
Uma história de Deus
Jerusalém
Paul AUSTER
O caderno vermelho
Ishmael BEAH
Muito longe de casa
Jurek BECKER
Jakob, o mentiroso
Marshall BERMAN
Tudo que é sólido desmancha no ar
Jean-Claude BERNARDET
Cinema brasileiro: propostas para uma história
Harold BLOOM
Abaixo as verdades sagradas
David Eliot BRODY, Arnold R. BRODY
As sete maiores descobertas científicas da história
Bill BUFORD
Entre os vândalos
Jacob BURCKHARDT
A cultura do Renascimento na Itália
Peter BURKE
Cultura popular na Idade Moderna
Italo CALVINO
Os amores difíceis
O barão nas árvores
O cavaleiro inexistente
Fábulas italianas
Um general na biblioteca
Os nossos antepassados
Por que ler os clássicos
O visconde partido ao meio
Elias CANETTI
A consciência das palavras
O jogo dos olhos
A língua absolvida
Uma luz em meu ouvido

Bernardo CARVALHO
Nove noites
Jorge G. CASTAÑEDA
Che Guevara: a vida em vermelho
Ruy CASTRO
Chega de saudade
Mau humor
Louis-Ferdinand CÉLINE
Viagem ao fim da noite
Sidney CHALHOUB
Visões da liberdade
Jung CHANG
Cisnes selvagens
John CHEEVER
A crônica dos Wapshot
Catherine CLÉMENT
A viagem de Théo
J. M. COETZEE
Infância
Juventude
Joseph CONRAD
Coração das trevas
Nostromo
Mia COUTO
Terra sonâmbula
Alfred W. CROSBY
Imperialismo ecológico
Robert DARNTON
O beijo de Lamourette
Charles DARWIN
A expressão das emoções no homem e nos animais
Jean DELUMEAU
História do medo no Ocidente
Georges DUBY
Damas do século XII
História da vida privada 2 — Da Europa feudal à Renascença (Org.)
Idade Média, idade dos homens
Mário FAUSTINO
O homem e sua hora
Meyer FRIEDMAN, Gerald W. FRIEDLAND
As dez maiores descobertas da medicina
Jostein GAARDER
O dia do Curinga
Maya
Vita brevis
Jostein GAARDER, Victor HELLERN, Henry NOTAKER
O livro das religiões

Fernando GABEIRA
O que é isso, companheiro?

Luiz Alfredo GARCIA-ROZA
O silêncio da chuva

Eduardo GIANNETTI
Auto-engano
Vícios privados, benefícios públicos?

Edward GIBBON
Declínio e queda do Império Romano

Carlo GINZBURG
Os andarilhos do bem
História noturna
O queijo e os vermes

Marcelo GLEISER
A dança do Universo
O fim da Terra e do Céu

Tomás Antônio GONZAGA
Cartas chilenas

Philip GOUREVITCH
Gostaríamos de informá-lo de que amanhã seremos mortos com nossas famílias

Milton HATOUM
A cidade ilhada
Cinzas do Norte
Dois irmãos
Relato de um certo Oriente
Um solitário à espreita

Patricia HIGHSMITH
Ripley debaixo d'água
O talentoso Ripley

Eric HOBSBAWM
O novo século
Sobre história

Albert HOURANI
Uma história dos povos árabes

Henry JAMES
Os espólios de Poynton
Retrato de uma senhora

P. D. JAMES
Uma certa justiça

Ismail KADARÉ
Abril despedaçado

Franz KAFKA
O castelo
O processo

John KEEGAN
Uma história da guerra

Amyr KLINK
Cem dias entre céu e mar

Jon KRAKAUER
No ar rarefeito

Milan KUNDERA
A arte do romance
A brincadeira
A identidade
A ignorância
A insustentável leveza do ser
A lentidão
O livro do riso e do esquecimento
Risíveis amores
A valsa dos adeuses
A vida está em outro lugar

Danuza LEÃO
Na sala com Danuza

Primo LEVI
A trégua

Alan LIGHTMAN
Sonhos de Einstein

Gilles LIPOVETSKY
O império do efêmero

Claudio MAGRIS
Danúbio

Naguib MAHFOUZ
Noites das mil e uma noites

Norman MAILER (JORNALISMO LITERÁRIO)
A luta

Janet MALCOLM (JORNALISMO LITERÁRIO)
O jornalista e o assassino
A mulher calada

Javier MARÍAS
Coração tão branco

Ian McEWAN
O jardim de cimento
Sábado

Heitor MEGALE (Org.)
A demanda do Santo Graal

Evaldo Cabral de MELLO
O negócio do Brasil
O nome e o sangue

Luiz Alberto MENDES
Memórias de um sobrevivente

Jack MILES
Deus: uma biografia

Vinicius de MORAES
Antologia poética
Livro de sonetos
Nova antologia poética
Orfeu da Conceição

Fernando MORAIS
Olga

Toni MORRISON
Jazz

V. S. NAIPAUL
Uma casa para o sr. Biswas

Friedrich NIETZSCHE
Além do bem e do mal
Ecce homo
A gaia ciência
Genealogia da moral
Humano, demasiado humano
O nascimento da tragédia

Adauto NOVAES (Org.)
Ética
Os sentidos da paixão

Michael ONDAATJE
O paciente inglês

Malika OUFKIR, Michèle FITOUSSI
Eu, Malika Oufkir, prisioneira do rei

Amós OZ
A caixa-preta
O mesmo mar

José Paulo PAES (Org.)
Poesia erótica em tradução

Orhan PAMUK
Meu nome é Vermelho

Georges PEREC
A vida: modo de usar

Michelle PERROT (Org.)
História da vida privada 4 — Da Revolução Francesa à Primeira Guerra

Fernando PESSOA
Livro do desassossego
Poesia completa de Alberto Caeiro
Poesia completa de Álvaro de Campos
Poesia completa de Ricardo Reis

Ricardo PIGLIA
Respiração artificial

Décio PIGNATARI (Org.)
Retrato do amor quando jovem

Edgar Allan POE
Histórias extraordinárias

Antoine PROST, Gérard VINCENT (Orgs.)
História da vida privada 5 — Da Primeira Guerra a nossos dias

David REMNICK (JORNALISMO LITERÁRIO)
O rei do mundo

Darcy RIBEIRO
Confissões
O povo brasileiro

Edward RICE
Sir Richard Francis Burton

João do RIO
A alma encantadora das ruas

Philip ROTH
Adeus, Columbus
O avesso da vida
Casei com um comunista
O complexo de Portnoy
Complô contra a América
A marca humana
Pastoral americana

Elizabeth ROUDINESCO
Jacques Lacan

Arundhati ROY
O deus das pequenas coisas

Murilo RUBIÃO
Murilo Rubião — Obra completa

Salman RUSHDIE
Haroun e o Mar de histórias
Oriente, Ocidente
O último suspiro do mouro
Os versos satânicos

Oliver SACKS
Um antropólogo em Marte
Enxaqueca
Tio Tungstênio
Vendo vozes

Carl SAGAN
Bilhões e bilhões
Contato
O mundo assombrado pelos demônios

Edward W. SAID
Cultura e imperialismo
Orientalismo

José SARAMAGO
O Evangelho segundo Jesus Cristo
História do cerco de Lisboa
O homem duplicado
A jangada de pedra

Arthur SCHNITZLER
Breve romance de sonho

Moacyr SCLIAR
O centauro no jardim
A majestade do Xingu
A mulher que escreveu a Bíblia

Amartya SEN
Desenvolvimento como liberdade

Dava SOBEL
Longitude

Susan SONTAG
Doença como metáfora / AIDS e suas metáforas
A vontade radical

Jean STAROBINSKI
Jean-Jacques Rousseau

I. F. STONE
O julgamento de Sócrates

Keith THOMAS
O homem e o mundo natural

Drauzio VARELLA
Estação Carandiru

John UPDIKE
As bruxas de Eastwick

Caetano VELOSO
Verdade tropical

Erico VERISSIMO
Caminhos cruzados
Clarissa
Incidente em Antares

Paul VEYNE (Org.)
História da vida privada 1 — Do Império Romano ao ano mil

XINRAN
As boas mulheres da China

Ian WATT
A ascensão do romance

Raymond WILLIAMS
O campo e a cidade

Edmund WILSON
Os manuscritos do mar Morto
Rumo à estação Finlândia

Edward O. WILSON
Diversidade da vida

Simon WINCHESTER
O professor e o louco

1ª edição Companhia das Letras [1996] 12 reimpressões
2ª edição Companhia das Letras [2004] 9 reimpressões
1ª edição Companhia de Bolso [2011] 18 reimpressões

Esta obra foi composta pela Verba Editorial em Janson Text e impressa em ofsete pela Gráfica Bartira sobre papel Pólen da Suzano S.A. para a Editora Schwarcz em junho de 2024

A marca FSC® é a garantia de que a madeira utilizada na fabricação do papel deste livro provém de florestas que foram gerenciadas de maneira ambientalmente correta, socialmente justa e economicamente viável, além de outras fontes de origem controlada.